LA CHASSE EST OUVERTE

Linda HOWARD

LA CHASSE
EST OUVERTE

Traduit de l'anglais (États-Unis)
par Jean-Pascal Bernard

DU MÊME AUTEUR
AUX ÉDITIONS MICHEL LAFON

Mister Perfect

Titre original :
Open Season

Prologue

Carmela serrait nerveusement le sac de toile contenant sa robe de rechange et les quelques provisions qu'elle avait rassemblées pour son grand voyage vers le nord, de l'autre côté de la frontière. Orlando avait prévenu qu'il n'y aurait aucune escale avant Los Angeles, leur destination finale. Elle était enfermée à l'arrière d'un vieux camion lancé sur une piste cahoteuse. Dès qu'elle abandonnait sa position recroquevillée, ou qu'elle succombait au sommeil, les soubresauts du véhicule la projetaient contre le plancher en bois.

Elle était terrifiée, mais déterminée. Enrique avait émigré deux ans plus tôt, en promettant de la faire venir auprès de lui dès que possible. Au lieu de quoi il avait épousé une Américaine – ce qui le mettait à l'abri des menaces d'expulsion –, laissant à ses rêves brisés une Carmela humiliée.

À son tour d'épouser un *norteamericano*, se disait-elle. Et riche, tant qu'à faire. Enrique ferait une de ces têtes en apprenant la nouvelle... Il regretterait de l'avoir trahie.

Aux secousses du poids lourd s'ajoutaient le crissement métallique des changements de vitesse et les petits cris de douleur qu'émettaient tour à tour d'autres filles en se cognant contre une paroi. Elles étaient quatre jeunes passagères, toutes en quête d'un avenir radieux comme leur Mexique natal n'en proposait plus. Elles ne se connaissaient pas, avaient à peine échangé trois mots. Le danger, la tristesse du départ et les perspectives d'une vie meilleure suffisaient à leur occuper l'esprit.

Carmela songea à sa mère, décédée sept mois plus tôt. « Ne laisse jamais Enrique s'aventurer entre tes jambes, répétait-elle inlassablement. Pas avant d'être sa femme. Sinon, il te mettra enceinte et t'abandonnera aussitôt pour une péronnelle. » À vrai dire, elle n'avait jamais laissé Enrique la toucher, et ça ne l'avait pas empêché d'en épouser une autre. Mais, au moins, il ne lui avait pas fait d'enfant.

Elle avait néanmoins compris ce que sa maman cherchait à lui dire : *Ne deviens pas comme moi*. Elle ne voulait pas que sa fille vieillisse prématurément, passe sa vie d'adulte avec un bébé dans les bras et un autre dans le ventre, pour s'éteindre d'épuisement avant la quarantaine.

Carmela avait dix-sept ans. Au même âge, sa mère avait déjà accouché deux fois. Enrique n'avait pas compris que sa fiancée se refuse à lui. Mais si seul le sexe l'intéressait, c'est qu'il ne l'aimait pas vraiment.

Alors bon débarras ! Elle avait mieux à faire que de pleurer un imbécile.

Pour se mettre du baume au cœur, elle se répétait que tout irait mieux aux États-Unis. On disait que Los Angeles recelait plus d'emplois que d'habitants, que chaque foyer possédait un téléviseur et une automobile. Avec un peu de chance, elle pourrait même devenir une vedette de cinéma, puisque tout le monde la disait jolie...

L'une des filles ouvrit la bouche. Ses paroles furent couvertes par le vrombissement du moteur, mais sa détresse était manifeste. Carmela comprit qu'elles étaient quatre à avoir peur et, paradoxalement, ce constat la rendit plus forte.

Elle se glissa jusqu'à sa camarade pour entendre ce qu'elle disait. Le jour s'était levé, qui s'infiltrait dans les fissures de la carrosserie et laissait deviner les visages.

— Que dis-tu ? demanda-t-elle.

Gênée, la fille plongea les mains dans l'étoffe élimée de sa jupe.

— Il faut que je me soulage.

— On est toutes dans le même cas, répondit Carmela avec bienveillance.

Sa propre vessie la mettait au supplice. Elle s'était efforcée de l'ignorer, pour retarder l'inévitable. Des larmes coulèrent sur les joues de sa voisine.

— Je ne peux plus attendre, gémit-elle.

Les deux autres passagères semblaient tout aussi désemparées.

— Dans ce cas, faisons ce que la nature nous ordonne,

dit Carmela. On va délimiter un endroit... Tenez, là, au fond à droite. Il y a un trou dans le plancher qui permettra à l'urine de s'écouler. On va toutes pouvoir se soulager.

La canicule allait faire grimper la température, jusqu'à la rendre suffocante, voire mortelle, si Orlando ne les laissait pas prendre l'air quelques instants. Mais Los Angeles ne devait plus être bien loin. Carmela n'avait versé à Orlando que la moitié de ses émoluments, ce qui signifiait qu'il ne percevrait pas le solde si elle mourait en route. D'ordinaire, le *coyote* exigeait un paiement comptant avant le départ, mais il avait consenti à faire une exception au motif qu'il la trouvait ravissante.

Ses camarades n'étaient pas vilaines non plus, songea Carmela. Peut-être avaient-elles toutes eu droit à ce traitement de faveur.

À cause des secousses du camion, uriner requérait un effort collectif, que Carmela se chargea d'organiser. Tour à tour, et elle en dernier, chacune s'accroupit pendant que les trois autres la maintenaient en équilibre. Elles purent ensuite reprendre leur position et se reposer enfin un peu.

Subitement, après un ultime bond, le véhicule se stabilisa. Carmela devina qu'elles étaient sur une autoroute. Une autoroute ! Los Angeles était sûrement tout proche.

À midi passé, elles étaient toujours prisonnières de la fournaise. Carmela s'efforçait de contrôler son souffle, mais les trois autres haletaient, comme si elles cherchaient dans leurs inspirations précipitées une sensation de fraîcheur. Elle attendit que la soif devienne insupportable pour sortir une petite gourde de son sac.

– J'ai de l'eau, dit-elle. Mais pas beaucoup, alors il faudra partager de manière équitable. Celle qui boit plus d'une gorgée avant de passer la gourde à sa voisine, je la gifle, vous m'entendez ? Et une *petite* gorgée, d'accord ?

Elles appliquèrent la consigne à la lettre. Carmela avait acquis l'autorité d'une meneuse. Elle se désaltéra la dernière, puis la gourde fit un second tour, avant de regagner son sac.

– Je sais que c'est peu, dit-elle, mais nous devons garder des réserves.

Lesquelles équivalaient au maximum à deux gorgées par personne, soit moins que ce qu'elles perdaient en sueur toutes les heures. Pourquoi les autres n'avaient-elles pas pensé à emporter leurs propres provisions ? se demanda-t-elle rageusement, avant de se ressaisir. Peut-être n'avaient-elles rien pu emporter. Peut-être ces jeunes femmes étaient-elles encore plus démunies qu'elle-même.

Devinant à l'oreille que le camion ralentissait, les quatre passagères échangèrent des regards pleins d'espoir. Les pneus mordirent sur des graviers. Derrière le ronron du moteur qui continuait de tourner, elles entendirent Orlando claquer sa portière. Carmela empoigna son sac et se leva. On était sûrement arrivé, bien que cette route parût étonnamment silencieuse pour un axe urbain.

Elles entendirent le cliquetis d'une chaîne, puis le rideau métallique du camion se leva d'un coup, laissant entrer une lumière aveuglante et un flux d'air à la fois chaud et rafraîchissant. La silhouette d'Orlando se dressait à contre-jour. La main en visière, elles traversèrent la plate-forme et descendirent avec des mouvements hésitants.

Quand ses yeux furent habitués à la clarté, Carmela découvrit, pour toute trace de civilisation, quelques broussailles sur un sol graveleux. Elle se tourna vers Orlando d'un air perplexe.

– C'est ici que je vous laisse, annonça-t-il. Il fait trop chaud dans le camion. Vous pourriez mourir. Je vous confie à mon ami pour le reste du trajet. Il a la clim.

La climatisation ! Dans le petit village de Carmela, on trouvait bien quelques voitures, mais sans air conditionné. Le vieux Vasquez avait fièrement exhibé son tableau de bord, mais la moitié des commandes ne fonctionnait plus. Elle n'avait jamais senti un filet d'air froid souffler dans une auto. Elle allait vivre une grande première. Vasquez serait vert de jalousie s'il apprenait cela.

Un grand homme mince apparut, vêtu d'un jean et d'une chemise à carreaux, les bras chargés de quatre bouteilles d'eau minérale. Elles burent à grandes gorgées pendant qu'il s'entretenait avec Orlando en anglais, langue qu'aucune d'elles ne parlait.

– Voici Mitchell, dit enfin Orlando. Vous devrez suivre ses instructions. Il a quelques bases d'espagnol, suffisamment en tout cas pour se faire comprendre. Si vous désobéissez, la police américaine vous arrêtera et vous jettera en prison, et vous ne serez jamais libérées. Vous m'avez bien compris ?

Elles hochèrent la tête, et furent aussitôt conduites dans la benne aménagée du pick-up blanc de Mitchell. Il y avait là deux sacs de couchage repliés, ainsi qu'un petit tabouret percé qui s'avéra être un siège de WC. La faible hauteur du plafond n'autorisait que les positions assise ou allongée. Mais après leur nuit blanche, ce n'était guère gênant. Une douce brise accompagnée d'une musique relaxante leur parvint via la vitre coulissante du conducteur. Les filles étendirent les sacs de couchage et s'endormirent rapidement.

Jamais elle n'aurait cru que Los Angeles était si loin, songea Carmela deux jours plus tard. Elle en avait assez de rouler dans ce camion où l'on ne pouvait se mettre debout ni même s'étirer vraiment. Elle qui n'avait jamais connu l'oisiveté brûlait de pouvoir marcher.

On les nourrissait régulièrement, et elles buvaient à leur soif. Mais elles n'avaient pas eu l'occasion de se laver et la cabine empestait. Parfois Mitchell s'arrêtait dans un endroit désert et ouvrait la malle pour aérer un peu, mais les mauvaises odeurs reprenaient vite le dessus.

Par la vitre arrière, Carmela avait vu succéder au désert aride des plaines verdoyantes, puis la forêt et, le dernier jour, des montagnes avec leurs pâturages, leurs splendides vallées et leurs rivières sombres. L'air était dense et humide, et charriait mille senteurs de fleurs et d'arbres. Et les voitures ! Jamais elle n'aurait pensé en voir autant dans toute son existence. Apercevant les abords d'une ville gigantesque, elle se crut arrivée à Los Angeles, mais Mitchell lui répondit qu'il s'agissait de Memphis, et que la route serait encore longue.

Quel vaste pays l'Amérique...

Après deux jours de pick-up, elles firent une nouvelle halte au milieu de la nuit. Quand Mitchell les libéra de leur cellule, elles tenaient à peine sur leurs jambes. Le camion était garé devant une longue caravane. Carmela chercha les lumières de la ville, mais en vain. Seules les étoiles, le grésillement d'insectes et les cris d'oiseaux perçaient la nuit. Mitchell ouvrit la caravane et invita les quatre filles à l'intérieur. Elles furent ébahies par tant de luxe. Un mobilier opulent, une cuisine dotée d'appareils insolites, et une salle de bains princière. Mitchell leur demanda de se relayer dans la baignoire et remit à chacune une robe ample et légère. Un cadeau de bienvenue, précisa-t-il.

Le jet d'eau sortait directement de la cloison, et le savon était parfumé. Il y en avait même un deuxième, liquide, conçu exprès pour les cheveux, qui formait des nuages de mousse. Et de petites brosses pour se laver les dents ! Carmela se baigna la dernière, par égard pour ses trois camarades qui semblaient à bout de forces. Elle dut se rincer à l'eau froide, mais cela n'avait aucune importance. Lorsqu'elle sortit de la baignoire, elle ne s'était jamais sentie aussi propre.

Nus pieds, elle enfila sa robe à même la peau car ses sous-vêtements étaient trop sales. Elle noua en chignon ses cheveux mouillés, puis découvrit dans le miroir une fille splendide. Une peau douce et hâlée, des yeux d'un noir intense, des lèvres rouges et pulpeuses. Rien à voir avec la souillon qui s'était glissée dans la baignoire quelques instants plus tôt.

Les autres filles dormaient déjà, blotties dans des couvertures. La fraîcheur de la chambre lui donna la chair de poule. Elle retourna dans le séjour pour souhaiter bonne nuit à Mitchell et le remercier de tout ce qu'il avait fait pour elles. Elle le trouva vautré devant un téléviseur diffusant un match de base-ball. Il lui sourit et indiqua sur la table deux verres remplis d'un liquide brun dans lequel flottaient des glaçons.

— Je t'ai préparé une boisson, crut-elle comprendre de son espagnol approximatif.

Il prit un verre et but une gorgée.

— Coca-Cola, précisa-t-il.

Ça, elle connaissait ! Elle prit l'autre verre et engloutit le liquide froid et sucré, qui lui procura une sensation délicieuse dans le fond de la gorge. Mitchell l'invita à s'asseoir. Elle prit place à l'autre bout du sofa, comme sa mère le lui avait appris. Malgré l'épuisement, elle était disposée à lui tenir compagnie quelques minutes. Par politesse, par gratitude. Elle le considérait comme un chic type, et il avait de beaux yeux marron, quoique un peu tristes.

Il lui offrit des noix de cajou, qu'elle avala avec bonheur, comme si son corps devait reconstituer ses réserves de sel. Puis la soif revint, et Mitchell se leva pour lui rapporter un autre Coca. Elle n'avait pas l'habitude qu'un homme la serve, mais les Américains étaient peut-être ainsi. Elle regrettait déjà de ne pas être arrivée plus tôt.

La fatigue s'accrut. Elle bâilla et s'excusa. Il rit d'un air compréhensif. Elle luttait pour garder ses paupières ouvertes, et sa tête sombra à plusieurs reprises, jusqu'à ce qu'elle soit incapable du moindre mouvement et se sente glisser sur le côté. Mitchell l'aida à s'étendre sur le canapé, lui cala la tête sur un coussin, et lui déplia les jambes. Quelques instants plus tard, elle voulut lui dire d'ôter ses mains de ses cuisses, mais les mots restaient bloqués dans sa gorge. Mitchell la toucha là où personne ne s'était jamais aventuré.

Non, se dit-elle.

Puis ce fut le noir.

1

— Daisy ! Le petit déjeuner est servi !

Ces paroles, Daisy Ann Minor les entendait résonner dans la cage d'escalier chaque matin depuis le CP. La même phrase, la même mélodie, le même timbre de voix – celui de sa mère.

Elle resta couchée, à écouter la pluie clapoter sur le toit et inonder les gouttières. C'était le jour de ses trente-quatre ans, et son moral s'accordait à la grisaille. Il n'y avait strictement rien à attendre de cet anniversaire.

Les orages avaient au moins le mérite d'offrir un peu d'intensité dramatique. Mais la pluie de ce matin était banale à pleurer. Comme elle. Elle suivit d'un œil distrait le ruissellement d'une goutte sur la vitre. Elle avait passé trente-quatre années à être une gentille fille, et pour quel résultat ? Aucun.

Elle ne s'était jamais mariée, ni même fiancée. Pas une seule histoire d'amour à son actif. Juste un flirt éphémère à la fac, pour faire comme tout le monde et paraître un tant soit peu normale. Elle vivait avec sa mère Evelyn et sa tante Joella, veuves toutes les deux. Son dernier rendez-vous galant remontait au 13 septembre 1993, avec le neveu de la meilleure amie de sa tante. Motif de ce tête-à-tête : Wally n'avait fréquenté personne depuis au moins 1988. Une sorte de rencontre au sommet entre désespoir et charité chrétienne. Il n'avait même pas essayé de l'embrasser. Ce fut la soirée la plus insipide de son existence.

Insipide. Ce mot la frappa avec la force d'une révélation. Comme si elle et lui ne faisaient qu'un. Il fallait se rendre à l'évidence : ses vêtements étaient insipides, ses cheveux étaient insipides, son visage était insipide, sa vie entière était insipide. Vieille fille de trente-quatre ans, bibliothécaire dans une petite ville de province et vierge de surcroît. Insipide à souhait.

Elle scrutait à présent le plafond. Elle ne se sentait pas la force d'affronter maman et tante Joella, de faire semblant d'être aux anges lorsqu'elles lui souhaiteraient un joyeux anniversaire. Il fallait pourtant se lever. Elle commençait le travail à 9 heures.

La veille, elle avait, comme chaque soir avant de se coucher, posé sur sa chaise la tenue du lendemain, en l'occurrence une jupe bleu marine qui lui arrivait cinq centimètres au-dessous du genou – trop longue pour être sexy, trop courte pour être à la mode –, et un chemisier blanc à manches courtes. Toute sa garde-robe était du même acabit. Le degré zéro de la sophistication.

Elle ne pouvait même pas rehausser son physique en soignant son maquillage, puisque celui-ci se résumait à un unique tube de rouge à lèvres quasi transparent, que du reste elle ne débouchait presque jamais. À quoi bon ? Pourquoi une fille qui n'a pas besoin de s'épiler les jambes ferait-elle l'effort de se peinturlurer la bouche ?

Mon Dieu ! Comment avait-elle pu en arriver là ?

Furieuse, elle s'assit au bord du lit, se tourna vers la coiffeuse, et dégagea les mèches ternes qui lui barraient la vue afin de contempler l'image que renvoyait le miroir. Son pyjama en tissu-éponge était beaucoup trop grand. Un cadeau de Noël de maman, qu'elle n'avait osé échanger de peur de la vexer. Qu'on lui offre encore de tels présents était symptomatique. Une nuisette transparente, une chemise de nuit en satin, un déshabillé en dentelle ? Vous n'y pensez pas. Un pyjama en tissu-éponge faisait très bien l'affaire avec Daisy Minor.

Et, pendant ce temps, son horloge biologique continuait de tourner, tel le compte à rebours d'une fusée. Dix, neuf, huit...

Pourtant, elle ne demandait pas la lune. Tout ce qu'elle voulait, c'était une vie. Une vie ordinaire. Un mari, un bébé, une maison. Et du sexe. Sauvage, enfiévré. Des étreintes acrobatiques dans un lit moite jusqu'au milieu de l'après-midi. Pour que sa poitrine ne serve pas uniquement à entretenir les fabricants de soutiens-gorge. Elle était plutôt satisfaite de ses seins. Fermes, rebondis, altiers. Mais personne n'était là pour les apprécier. Fallait-il qu'ils s'affaissent pour qu'elle se décide à réagir ?

Dopés par l'énergie du désespoir, ses neurones lui soufflèrent la solution suivante : cesser d'être sage.

19

À cette idée saugrenue, son ventre se noua et son cœur se mit à palpiter. Outre que cela ne semblait pas très pieux, elle ne saurait jamais comment s'y prendre. La vertu qui l'habitait depuis la naissance devait être gravée dans son ADN. Jouer les délurées, alors ? Les mauvaises filles fumaient, buvaient, sortaient en boîte et couchaient à gauche, à droite. Danser, passe encore – c'était même une bonne idée –, mais pour le reste !

N'oublie pas que les mauvaises filles attirent tous les hommes ! lui murmura une petite voix intérieure.

– Pas tous ! protesta-t-elle.

Elle connaissait plusieurs jeunes femmes irréprochables qui s'en étaient sorties. Toutes ses amies étaient épouses et mères. Ainsi que Beth, sa sœur cadette. Comme quoi, c'était possible. À supposer toutefois qu'il reste encore des types bien quelque part. Les bons garçons et les mauvais bougres sont dans un bateau. Les premiers tombent à l'eau. Qui reste à bord ?

CQFD ! clamèrent ses hormones sous la pression de son horloge biologique.

Elle exclurait d'emblée ceux qui passaient plus de temps dans les bars qu'au travail ou à la maison, comme ceux qui se ruaient sur la première traînée venue. Mais un homme doté d'une certaine maturité... Quelque chose dans le regard, une démarche assurée, des bras tendres et protecteurs. Même un type ordinaire avec une vie ordinaire ferait l'affaire, du moment qu'il ait cette étincelle d'espièglerie dans les yeux. Mmm, elle en salivait d'avance.

Elle s'observa de nouveau dans la glace. Inutile d'insister, elle n'avait pas l'âme d'une dévergondée.

20

Mais elle pouvait toujours en prendre l'apparence. Du moins, celle d'une fêtarde. Oui, une *fêtarde*. Une fille qui s'éclate, qui danse et drague en minijupe. Cela semblait plus dans ses cordes...

– L'heure tourne, Daisy ! lança Evelyn sur le ton de celle qui prépare un mauvais coup.

Comme si sa fille avait pu oublier la date de son anniversaire...

De toute sa vie active, Daisy n'avait jamais accusé une seule minute de retard. Mais une personne normale pouvait bien se permettre une panne d'oreiller dans l'année, non ? Des états de service blancs comme neige, ça aussi c'était symptomatique.

– J'arrive ! répondit-elle.

En ôtant son pyjama, elle fit le serment de ne plus jamais en porter de semblable, avant de le jeter d'un geste plein de défi dans sa corbeille à papier. Mais alors, qu'allait-elle porter la nuit prochaine ? Elle n'avait rien d'autre dans ses armoires. Et si... Et si elle dormait en tenue d'Ève ? Cette pensée l'émoustilla. Oui, ce serait tout à fait digne d'une fêtarde. Et puis, en quoi serait-ce un péché ? Le révérend Bridges n'avait jamais rien dit à ce sujet.

Elle n'avait pas besoin de se doucher. Le monde, selon elle, se divisait en deux catégories : ceux qui se douchaient le soir et ceux qui se douchaient le matin. Elle relevait de la première. Les autres s'enorgueillissaient sûrement d'arriver au bureau propres comme des sous neufs. Mais elle-même refusait d'introduire dans ses draps la poussière, les germes et les peaux mortes accumulés dans une journée. Sans compter que se laver le soir permettait de repousser l'heure du réveil.

Le miroir de la salle de bains confirma ses deux visions précédentes. Un œil bleu, un œil vert. Des cheveux d'un brun terne, informes, sans volume. Elle tira sur une mèche pour les examiner. Pas le moindre reflet doré ou roux. Ils n'étaient même pas d'un brun intense, de type chocolat, mais d'un marron fadasse, comme la boue. Il existait sûrement un moyen de rendre à sa chevelure un peu d'éclat ou de volume ; les produits capillaires occupaient un rayon entier à l'hypermarché régional. Mais ce dernier se trouvait à vingt kilomètres, si bien qu'elle s'était toujours contentée du shampooing proposé à l'épicerie du coin. Et puis, comment s'y retrouver parmi ces millions de baumes, de gels, de laques et autres colorations avec ou sans ammoniaque ?

Eh bien, elle n'avait qu'à apprendre. Autant que ses compétences de bibliothécaire lui servent à quelque chose. Elle était une pro de la recherche, une fouineuse hors pair. Et l'art du soin capillaire n'était tout de même pas un secret d'État.

Bon. Elle regagna la chambre et sortit un bloc-notes de son sac à main. Priorité numéro un : CHEVEUX. Numéro deux : MAQUILLAGE. Numéro trois : FRINGUES.

Voilà. Une bonne chose de faite. Les premiers secrets d'une vraie fêtarde.

De retour à la salle de bains, elle se débarbouilla le visage, puis fit une chose rarissime : utiliser le pot d'Oil of Olaz que Joella lui avait offert l'année précédente. Utile ou pas, elle trouva l'exercice agréable ; sa peau parut tout de suite plus lisse et colorée. À vrai dire, ce

n'était pas étonnant : toute surface graissée devient lui-
sante, et le frottement de ses mains sur ses pommettes
n'avait pu que les rosir. Mais il fallait bien commencer
quelque part.

Bon, que pouvait-elle ajouter ?

Rien, sinon son rouge à lèvres incolore, dont elle-
même ne remarquait la présence qu'en se léchant les
babines. Il avait un goût de chewing-gum, le même
depuis ses années de collège. En vingt ans, elle n'en
avait jamais essayé d'autre.

– Tu me fais pitié, dit-elle à son reflet dans la glace.

La solution cosmétique ne suffirait jamais.

Il fallait un changement ra-di-cal.

Deux paquets aux couleurs vives attendaient Daisy
sur la table de la cuisine. Sa mère lui avait préparé son
petit déjeuner préféré : des pancakes au sirop d'érable.
À côté de l'assiette se trouvait une tasse de café fumant,
ce qui signifiait que sa mère avait guetté ses pas dans
l'escalier avant de la servir. Maman et Joella étaient
des anges.

– Joyeux anniversaire ! lancèrent-elles en chœur.

– Merci, dit-elle en esquissant un sourire.

Elles la pressèrent de s'asseoir et de déballer ses
cadeaux. Pourvu que ce ne soit pas un énième pyjama,
pria-t-elle tout en ouvrant la première boîte. Elle n'aurait pas la force de feindre l'enthousiasme.

Ouf. Ce n'était pas du tissu-éponge, ni même un
pyjama qu'elle sortit du carton.

– C'est un peignoir, indiqua sa mère.

– C'est... c'est magnifique, bredouilla Daisy.

C'était vraiment ravissant – plus, en tout cas, qu'elle ne l'avait prévu. C'était du coton, mais d'un rose assez joli, avec un liseré mauve au col et aux manches.

– Il te fallait quelque chose de mignon, ma fille.

– Tiens, enchaîna sa tante en poussant l'autre boîte sous son nez. Dépêche-toi, tes pancakes vont refroidir.

– Merci, maman, dit Daisy avant de s'attaquer au second cadeau.

Là non plus, pas de tissu-éponge. Mais une matière lisse et satinée.

– C'est de la vraie soie, dit fièrement Joella tandis que sa nièce dépliait une combinaison. Marilyn Monroe portait la même dans je ne sais plus quel film.

On aurait dit une relique des années quarante, à la fois sobre et sexy, dont les starlettes s'accoutrent de nos jours dans les dîners mondains. Daisy s'imagina assise derrière sa coiffeuse, dans cette simple tenue, en train de se brosser les cheveux. Un bel homme surgit et pose ses mains sur ses épaules dénudées. Elle renverse la tête et lui sourit, puis il effleure doucement sa peau jusqu'à ses seins et se penche pour l'embrasser...

– Alors, qu'en penses-tu ? demanda Joella.

– C'est... c'est magnifique, répéta Daisy en versant une larme. Vous êtes adorables.

– Mais tu pleures, ma nièce !

– Quelque chose ne va pas ? s'inquiéta Evelyn.

Daisy respira un grand coup.

– C'est juste que... Je viens d'avoir une révélation.

– Ça fait si mal que ça ? ricana Joella.

Evelyn fusilla sa sœur du regard.

– Dis-nous ce qui ne va pas, mon cœur.

Daisy prit son courage à deux mains.

– Je veux me marier.

Les deux sœurs échangèrent un regard stupéfait.

– C'est merveilleux, ma fille ! Mais qui est l'heureux élu ?

– C'est bien le problème.

De nouvelles larmes embuèrent ses yeux. Sa mère se racla la gorge.

– Je ne suis pas sûre de comprendre, mon cœur. Tu penses à quelqu'un en particulier ?

Daisy secoua la tête et se moucha.

– Non, maman. Je rêve seulement de fonder une famille avant qu'il ne soit trop tard. Et cela nécessite des changements majeurs.

– Quel genre de changements ? s'inquiéta Joella.

– Vous avez vu de quoi j'ai l'air ? Je suis insipide. Fadasse. Qui pourrait s'intéresser à moi ? Même ce pauvre Wally Herndon m'a tourné le dos.

Elle reprit son souffle et poursuivit :

– Je dois soigner mon apparence. Me rendre désirable. Fréquenter les endroits pleins d'hommes célibataires...

Elle s'interrompit, persuadée de soulever des objections. Mais il n'en fut rien. Alors elle se décida à cracher le plus gros morceau :

– Je dois prendre mon indépendance.

Les sœurs se consultèrent du regard. Que ferait Daisy si elles n'étaient pas d'accord ? Oserait-elle les quitter malgré tout ? Elle les aimait tellement. Elle ne voulait pas les blesser.

Elles répondirent par deux sourires siamois.

— Il était temps, dit Jo.

— On va t'aider, promit Evelyn, radieuse.

2

Perdue dans ses pensées, Daisy longea en pilotage automatique les cinq pâtés de maisons qui la séparaient de la bibliothèque. Dieu merci, seul un feu de signalisation ponctuait sa route, ce qui réduisait les risques d'accident.

Avant de ranger son sac dans le dernier tiroir de son bureau, elle consulta une dernière fois sa liste de résolutions, que maman et Joella venaient d'enrichir. Toutes trois étaient parvenues à la conclusion qu'il valait mieux commencer par les grosses dépenses. Le compte en banque de Daisy était florissant ; elle partageait les factures du foyer, mais la maison était payée depuis belle lurette, tout comme sa Ford, achetée en 1993 sur un crédit de trois ans. Son salaire de directrice de bibliothèque n'était pas mirobolant – c'était d'ailleurs un titre essentiellement honorifique, puisque son pouvoir se résumait à choisir les nouvelles acquisitions –, mais quand on épargne chaque année plus de la moitié de ses revenus, fussent-ils modestes, on se tricote vite un joli bas de laine. Daisy avait même commencé à investir en bourse, après avoir sélectionné sur Internet des entreprises à la fois solides et prometteuses.

Bref, elle avait largement les moyens de vivre seule, à condition toutefois qu'il reste des logements vacants à Hillsboro, Alabama. Car elle ne voulait pas quitter sa ville. Sa famille lui était chère, et le maire Temple Nolan avait pour principe de n'embaucher que ses administrés. Or, elle se voyait mal lui demander une dérogation.

Une fois assise, Daisy ouvrit la gazette locale à la page des petites annonces. On avait retrouvé un chat tigré dans Vine Street et Mme Washburn cherchait quelqu'un pour s'occuper de son beau-père âgé de quatre-vingt-dix-huit ans, qui avait la vilaine manie de se déshabiller en public. Puis figuraient les locations. Huit, en tout. Elle s'était attendue à moins.

Elle écarta d'emblée la première adresse. Il s'agissait d'une chambre chez la fameuse Beudah Wilson, connue pour fouiner dans les affaires de ses locataires tel un chien de douanier, avant de rapporter le fruit de ses découvertes aux commères du quartier. C'est ainsi que toute la ville avait appris l'existence d'un carton entier de vieux *Playgirl* sous le lit de la revêche Mlle Mavis.

Il restait donc sept possibilités.

« Vine Street » titrait l'annonce suivante. Sûrement le grenier aménagé au-dessus du garage des Simmons. Pourquoi pas ? Le quartier était tranquille, le loyer serait très abordable, et l'intimité garantie, car une sévère arthrite empêchait la veuve Simmons de gravir le moindre escalier.

Daisy entoura l'encart avant d'étudier les suivants. On proposait deux studios dans la résidence de Foret Hills, de l'autre côté de l'autoroute, mais le loyer était élevé et les immeubles ne payaient pas de mine. Une solution de secours, à la rigueur, si le garage des Simmons n'était plus libre. Suivait une maison sur Lassiter Avenue. Daisy chercha cette voie sur le plan de la ville punaisé au mur, et exclut aussitôt cette hypothèse. Le quartier était sinistre.

Les trois locations restantes n'étaient pas plus reluisantes. Une maison jumelle qui se libérait tous les six mois, car personne ne supportait d'entendre vociférer les odieux Farris ; un pavillon trop éloigné du centre-ville, et un mobile home tout proche de Lassiter Avenue.

Daisy composa donc le numéro de Mme Simmons, en priant pour qu'elle n'ait pas trouvé preneur durant le week-end. L'intéressée mit du temps à décrocher. Son fils Varney lui avait offert un téléphone sans fil pour réduire ses déplacements, mais la vieille dame, ne supportant pas la compagnie de cet appendice encombrant, avait accidentellement laissé tomber l'appareil dans la cuvette des toilettes.

— Allô ? dit enfin Mme Simmons d'une voix grinçante.

— Bonjour, madame Simmons. C'est Daisy Minor. Comment allez-vous ?

— Bien, mon enfant. L'humidité n'est pas tendre avec mes articulations, mais c'est ça ou la sécheresse, alors je ne vais pas me plaindre, n'est-ce pas ? Comment se portent ta mère et ta tante ?

– Très bien. Ces jours-ci, elles sont occupées à mettre en conserve les tomates et les gombos du jardin.

– Ah, oui. J'ai cessé de faire ça. L'année dernière, la femme de Varney m'a rapporté des poires pour faire des bocaux, mais j'ai renoncé au potager. Mes genoux ne sont plus d'accord.

– Je comprends. Je vous appelle au sujet de l'appartement au-dessus de votre garage. Est-il toujours libre ?

– Mais oui, mon enfant. Tu connais quelqu'un qui serait intéressé ?

– Oui. Moi. Pourrais-je passer à midi pour y jeter un œil ?

– Ma foi, oui. Laisse-moi juste le temps de consulter ta mère, et je te rappelle aussitôt. Tu es à la bibliothèque, n'est-ce pas ?

Daisy n'en croyait pas ses oreilles.

– Pardon ? dit-elle poliment. Pourquoi faudrait-il consulter ma mère ?

– Pour m'assurer qu'elle est d'accord, pardi ! Je n'oserais jamais te louer un appartement sans son consentement.

Daisy sentit la moutarde lui monter au nez.

– Son consentement ? Écoutez, j'ai trente-quatre ans, et j'ai le droit d'habiter où je veux.

– Mais vous vous êtes peut-être disputées, et je ne voudrais pas heurter Evelyn.

– On ne s'est pas disputées du tout !

La colère lui nouait la gorge. Toute la ville la croyait donc incapable de faire un geste sans autorisation parentale ? Pas étonnant, dans ces conditions, qu'aucun homme ne s'intéresse à elle. Le pire, c'est que Mme

Simmons n'avait pas songé un instant que ses propos puissent la blesser.

— Tout compte fait, je doute que votre appartement fasse l'affaire, madame Simmons. Désolée de vous avoir dérangée.

Elle raccrocha sans dire au revoir. Le voisinage allait sans doute faire des gorges chaudes de l'incident, mais tant pis. Impotente ou pas, une commère est une commère, et Daisy n'en voulait pas comme propriétaire.

Elle revint à son journal. Les studios immondes l'étaient soudain beaucoup moins.

Elle composa le numéro indiqué dans le journal. De nombreuses sonneries se succédèrent. À croire que tout Hillsboro souffrait de rhumatismes.

— Allô ? grogna une voix d'homme.

— Mon Dieu, je vous réveille ?

La pendule indiquait 9 h 10.

— C'est bon. Je vous écoute.

— J'appelle au sujet de l'ann...

— Désolé, le dernier studio est parti hier, répondit l'homme avant de raccrocher.

Bon. Il restait à présent le pavillon de Lassiter Avenue, la maison voisine des Farris, et le mobile home excentré. Côtoyer les Farris était hors de question. Ça se jouait donc entre Lassiter Avenue et le mobile home. Dans le fond, la physionomie du quartier importait peu, du moment qu'il n'était pas infesté de dealers et qu'on n'était pas réveillé en pleine nuit par des coups de feu. Et si c'était le cas, ce serait de notoriété publique.

La petite cloche surplombant la porte d'entrée sonna. Daisy avait de la visite. Elle se leva et lissa sa jupe, un

31

réflexe aussi machinal qu'inutile, vu que personne ne prêtait jamais attention à sa mise. Elle était seule durant la matinée, car la plupart des usagers venaient l'après-midi, surtout après la sortie des classes. Ses collègues Kendra Owens et Shannon Ivey commençaient respectivement à midi et à 17 heures, et terminaient leur service à la fermeture, sur le coup de 21 heures.

– Y'a quelqu'un ? lança une forte voix avant que Daisy n'ait pu gagner le comptoir.

Elle pressa le pas, un brin choquée qu'on se permette de crier dans une bibliothèque, même déserte.

– Oui, je suis là. Inutile de hurler.

C'était Jack Russo, le chef de la police. Elle le connaissait de vue, mais ne lui avait jamais adressé la parole, et regrettait d'avoir à le faire. Pourquoi le maire n'avait-il pas promu un flic de Hillsboro au lieu d'embaucher ce rouleur de mécaniques sorti de nulle part ?

– Je n'aurais pas élevé la voix si j'avais vu quelqu'un, dit-il sèchement.

– Mais vous auriez trouvé porte close s'il n'y avait personne, rétorqua-t-elle.

Le chef Russo n'était pas vilain, si l'on aimait les cous de taureaux et les larges épaules, ce qui n'était pas vraiment le cas de Daisy. À ses yeux, on ne développait pas une telle musculature sans une bonne dose de narcissisme. Elle peinait à lui donner un âge. Son visage était lisse, hormis de petites pattes-d'oie autour des yeux. Ses cheveux ras et noirs grisonnaient aux tempes. Il avait sans conteste passé l'âge de soulever des poids toute la journée. Son regard était insolent, et ses lèvres semblaient prédisposées aux moues narquoises. Pour ne rien arranger, c'était un Yankee – on le disait de New York ou de Chicago –, avec tout ce que cela impliquait de lourdeur et de rudesse.

Elle soupira. En vérité, ce type avait réuni quantité de partisans autour de sa personne en très peu de temps. Le maire Nolan l'adorait, le conseil municipal lui était acquis, et les femmes célibataires, à ce qu'on disait, voyaient en lui le prince charmant.

– Que puis-je pour vous ? demanda-t-elle sur un ton de bibliothécaire, à la fois distant et serviable.

L'accueil du public était un art subtil, a fortiori dans un tel lieu. Il fallait inciter les gens à lire, tout en imposant le respect vis-à-vis de l'institution et des autres usagers.

– Je voudrais m'inscrire à la bibliothèque en ligne.

S'il voulait lui arracher un sourire, c'était bigrement réussi. La cote du flic fit un grand bond sur l'échelle de valeurs de Daisy, dont la bibliothèque virtuelle était, à juste titre, la grande fierté. L'Alabama faisait figure de pionnier en ce domaine. Tout citoyen de l'État pouvait avoir accès à des milliers de journaux, de revues généralistes ou spécialisées, de pages d'encyclopédies, ainsi qu'à certains services dédiés aux écoliers, aux enseignants, aux chercheurs...

– Vous allez adorer, promit-elle.

Elle l'invita à le suivre jusqu'au rayon des usuels, où les attendait le serveur informatique, s'empara de la chaise située en face de l'ordinateur et lui fit signe d'en prendre une autre. Il s'installa à quelques millimètres d'elle, renversé sur son dossier, la cheville gauche croisée sur le genou droit. Position typique du mâle dominant, avait-elle lu dans un article sur le langage corporel.

Daisy annula le bonus qu'elle venait de lui accorder, éloigna sa chaise de quelques centimètres et cocha la case « mauvaises manières » dans son cahier de bord mental.

Pendant qu'elle entrait les données personnelles du flic dans la machine et lui attribuait un mot de passe, elle ne cessait de se dire qu'il était encore trop près. Elle peinait à détacher les yeux de la cuisse musclée qui la frôlait. Mais elle ne pourrait plus atteindre le clavier si elle s'écartait davantage. Bon sang, il était pourtant payé pour savoir ce que signifiait « violation de domaine privé ». Elle lui lança un regard noir et sursauta. Il la dévisageait sans vergogne.

Elle se sentit rougir. En temps normal, elle aurait expédié la fin de la procédure pour se réfugier derrière son comptoir. Mais elle avait pris de nouvelles résolutions. Ne pas se laisser intimider en faisait partie. Après avoir rembarré Mme Simmons, pourquoi pas lui ?

— Dites, j'ai un truc sur le visage ou une tête de criminelle ? demanda-t-elle.

— Ni l'un ni l'autre. Le sens de l'observation est primordial pour un policier. Ça fait partie du boulot.

Voyez-vous ça...

— Je vous demande quand même d'arrêter. Ça ne se fait pas et vous me mettez mal à l'aise.

— Je m'excuse.

Mais ses yeux ne dévièrent pas d'un poil. Ils étaient gris-vert, plus verts que gris.

– Ce n'était pas voulu, miss... Daisy, n'est-ce pas ? Je vous dépose quelque part ?

Elle vira écarlate. Combien de fois lui avait-on servi cette mauvaise blague depuis le film *Miss Daisy et son chauffeur*... Et ça ne la faisait pas rire du tout. Elle débita le crédit du flic de quelques points supplémentaires, pour jeu de mots facile.

– Non merci, répondit-elle froidement.

Elle se leva, lui remit une carte plastifiée indiquant son mot de passe, et retourna derrière son guichet.

– Je m'excuse, répéta-t-il en s'accoudant au comptoir.

Il roula des épaules, comme pour remettre son tee-shirt en place. S'il voulait l'impressionner, c'était raté.

Après un long silence, il s'ébroua de nouveau et se redressa. Il tapota sa carte sur le plateau en bois et dit :

– Merci pour votre aide.

– À votre service, marmonna-t-elle.

Il s'éloigna, et elle crut l'entendre ricaner.

Qu'est-ce que ce prétendu flic de choc fabriquait ici, dans cette bourgade de neuf mille âmes coincée dans les montagnes du nord de l'Alabama ? Il avait dû se faire muter suite à une affaire de corruption ou une bavure. Oui, il était probablement au placard.

Mais peu importe. Ce n'était pas le premier goujat qui poussait la porte de la bibliothèque. Et elle avait d'autres chats à fouetter. Trouver un logement, par exemple. Elle s'était juré de ne rentrer chez sa mère qu'avec un bail en poche. Et il fallait s'activer, si elle ne voulait pas passer la nuit dans sa voiture.

3

Temple Nolan adorait sa petite ville de Hillsboro. Étonnamment dense pour cette région fertile et bon marché, elle n'avait jamais cherché à déborder de sa petite vallée encaissée dans les contreforts des Appalaches. La route qui y menait offrait un spectacle charmant : bordée de cèdres, elle sinuait jusqu'à un petit col offrant une vue panoramique sur l'agglomération.

Les flèches blanches des églises perçaient le ciel ; des chênes majestueux et des noyers blancs déployaient leurs ramures sur de grandes pelouses verdoyantes. Hillsboro possédait un jardin public d'un demi-hectare, doté de ravissants parterres de fleurs, de bancs, et d'un vieux canon datant de la guerre de Sécession, avec sa pyramide de boulets rouillés.

L'hôtel de ville, vieux bâtiment jaune, jouxtait le parc dans sa largeur, pris entre le commissariat de police et la bibliothèque municipale. Le premier était dirigé par Jack Russo, un Yankee plutôt bourru mais efficace, et la seconde par Mlle Daisy Minor, l'archétype de la vieille fille coincée, et d'autant plus coincée qu'elle n'était même pas vieille. De toutes les figures locales, Daisy était la préférée de Nolan, car c'était la plus caricaturale.

Autour du parc s'alignaient plusieurs commerces : des laveries, une droguerie, une boutique d'habillement, plusieurs antiquaires, une épicerie, un bazar, un magasin de jouets et d'articles de sport. Ce n'était pas la Cinquième Avenue, mais on trouvait tout ce qu'il fallait pour subsister et mener une vie agréable. Hillsboro avait aussi son lot de fast-foods, mais à l'écart du centre-ville, sur la route de Fort Payne. Le seul restaurant donnant sur le parc était le Coffee Cup, qui faisait salle comble le matin et à midi, et fermait à 18 heures.

C'était une commune paisible, aussi paisible que puisse l'être une petite ville de neuf mille habitants. Ni bar ni discothèque. Pour boire un verre, il fallait pousser jusqu'à Scottsboro, qui avait pour singularité de voter démocrate, ou jusqu'au comté voisin de Madison. Il y avait toujours des petits malins pour rapporter en douce des packs de bières à la maison, mais la police fermait les yeux tant qu'ils se saoulaient chez eux. En revanche, elle se montrait intraitable avec les conducteurs ivres et surveillait de près les raves-parties clandestines. Et si l'on coinçait de temps à autre quelques amateurs de marijuana ou d'ecstasy, Nolan s'attelait à préserver sa ville des gros dealers.

C'était l'une des raisons qui avait motivé la nomination de Jack Russo. Ce dernier avait usé ses semelles à Chicago et à New York ; il connaissait la loi du milieu et savait combattre les filières de trafiquants. Certes,

37

ses méthodes semblaient parfois expéditives pour une petite ville du Sud, mais on n'a rien sans rien. Le deuxième avantage de Russo tenait justement au fait qu'il n'était pas du sérail. Il assumerait ses fonctions sans prendre part au vaste système de copinage et d'échange de services qui incitait ses collègues du cru à fourrer leur nez partout ou à se montrer bavards.

Maire depuis neuf ans, Temple avait décroché son troisième mandat l'année précédente. Cet enfant du pays était un bel homme de quarante-cinq ans, aux yeux bleus et aux cheveux de jais. Les anciens de Hillsboro se souvenaient d'un jeune lycéen populaire et féru de football, de basket et de base-ball. Que ses performances ne fussent pas celles d'un sportif professionnel ne l'avait ni contrarié dans ses ambitions, qui se trouvaient ailleurs, ni empêché d'épouser Jennifer Whitehead, la plantureuse capitaine de l'équipe des pom-pom girls, dès qu'il eut empoché son diplôme de gestion.

Nolan était fier de sa progéniture. Jason, son aîné, s'était révélé un bon lanceur, ce qui lui avait ouvert les portes de la fac. Mais lui non plus n'avait pas la vocation du stade, et étudiait à présent la médecine en Caroline du Nord. Paige, vingt ans, suivait quant à elle un cursus scientifique et se destinait à la recherche spatiale. Dieu merci, ces deux-là n'avaient pas marché sur les traces de leur mère.

Car Jennifer était la seule ombre au tableau de l'existence de Nolan. Il aurait dû se douter que le mariage n'aurait jamais raison d'une fille facile. Si Jason et Paige ne lui ressemblaient pas autant, il aurait exigé un test de paternité. Jennifer s'était essayée à la fidélité

38

jusqu'aux deux ans de leur fille, avant que ses vieux démons ne la repoussent dans les bras du tout-venant.

Temple Nolan aurait sans doute pu divorcer sans compromettre sa carrière politique. Mais il ne voulait pas blesser ses enfants, qui demeuraient attachés à leur mère. Et puis cette dernière avait aussi son utilité. Outre que ses excès valaient leur pesant de voix – « Ce pauvre Nolan, qui fait tout ce qu'il peut pour sauver sa famille » –, sa nymphomanie était bien commode pour conclure une affaire ou rendre une faveur...

Du coup, il était lui-même contraint d'assouvir sa libido ailleurs. Il aurait pu se rabattre sur quelque femme libre – ou non – en ville, mais il estimait plus judicieux de vaquer à ses pulsions intimes loin de ses administrés.

Un appel sur sa ligne privée, reconnaissable à sa sonnerie particulière, le tira de sa rêverie. Après s'être assuré d'un coup d'œil que la porte du bureau était fermée, il décrocha.

– Oui ?

Par précaution, il ne prononçait jamais son nom sur cette ligne ni sur son portable.

– On a un pépin avec la cargaison, annonça une voix familière.

– Un contretemps ?

– Ouais. Je pense que vous aimeriez constater ça par vous-même.

Temple poussa un soupir. Il avait prévu de jouer au golf dès que cette foutue pluie aurait cessé. Et le voilà contraint de rouler jusqu'aux abords de Huntsville.

Mais Glenn Sykes ne l'aurait pas alerté sans raison valable.

— Dans ce cas, je vais prendre un long déjeuner, dit Nolan.

— Retrouvez-moi à la grange.

Nolan reposa le récepteur. Tant qu'ils n'étaient pas confrontés à une évasion, il n'y avait pas de quoi paniquer. Mais d'autres problèmes survenaient parfois, qui devaient être réglés avec diligence.

Trois heures plus tard, dans une grange délabrée, il considérait son problème tout en évaluant avec amertume le montant des pertes.

— Que s'est-il passé ? demanda-t-il.

— Overdose, répondit Sykes.

— GHB ?

— Ouais.

— C'est Mitchell ?

Sykes ne démentit pas. Ce n'était pas la première fois que Mitchell droguait une fille au GHB. Ce porc préférait les sauter quand elles étaient inconscientes. Comme si l'absence de résistance disqualifiait le concept de viol. Toujours est-il qu'il en était à sa deuxième victime par GHB. Passe encore qu'il essaye la marchandise, mais qu'il grève les profits, ce n'était plus possible.

— M. Mitchell devient gênant, dit Nolan.

— Extrêmement gênant, approuva Sykes. Il nous rapporte plus d'ennuis qu'autre chose.

— Nous sommes bien d'accord.

— Vous voulez que j'intervienne ?

– Je crains que nous y soyons obligés. Les petites récréations de Mitchell nous coûtent trop cher.

Sykes était soulagé. S'il aimait travailler avec des monstres à sang-froid comme Nolan, il détestait les incapables du genre de Mitchell. Il indiqua le paquet gisant au sol.

– Que faire du corps ? L'enterrer ? Le noyer ?

Temple réfléchit.

– Ça fait combien de temps ?

– Je l'ai découvert il y a un peu moins de quatre heures.

– Alors, attends deux heures de plus et noie-le.

Les résidus du GHB se dissolvaient au bout de six heures, ce qui les rendait absolument indécelables.

– Vous avez un endroit préféré ? demanda Sykes.

– Non, du moment que les flics ne puissent remonter jusqu'à nous.

Sykes se frotta la joue.

– Dans ce cas, je pense la laisser dans le comté de Marshall. Quand ils la trouveront, ils la prendront pour une travailleuse clandestine sans se poser plus de questions.

Il leva les yeux sur le toit éventré que martelait la pluie.

– La flotte jouera en notre faveur, reprit-il. Elle dispersera les traces, au cas où les zozos du shérif seraient pris d'un accès de zèle.

Le maire regarda le paquet. La mort ne rendait pas seulement les corps inertes. Elle en faisait des masses informes, désarticulées, indignes. Comment pouvait-on confondre un corps endormi et un cadavre ? Vivantes,

41

les filles avaient une beauté innocente qui rapportait gros. Mortes, elles ne valaient plus rien.

– Je vais appeler Phillips, dit Nolan. Je l'informerai de la situation et de notre décision concernant Mitchell.

Il se serait bien passé de ce coup de fil, car il détestait reconnaître ses torts, mais c'était bien lui qui avait recruté Mitchell. Lequel pouvait d'ores et déjà dire adieu aux filles et au GHB.

4

Figée sous la pluie, Daisy contemplait le petit pavillon délabré de Lassiter Avenue. La bicoque de la dernière chance. Les murs avaient besoin d'un sérieux coup de peinture, les arbustes squelettiques d'un sérieux coup de sécateur, et le jardin infesté de chiendent d'un sérieux coup de tondeuse. Le toit s'affaissait au-dessus du perron, un coin de la moustiquaire pendait lamentablement du cadre, et une vitre était fêlée dans toute sa diagonale. D'un autre côté, le jardin était clôturé, et puis, le logement était libre tout de suite.

Mme Phipps, la propriétaire minuscule et obèse, était presque aussi large que haute. Des cheveux blancs lui auréolaient le crâne comme un nuage de coton. Elle chercha ses clés dans son énorme sac à main, puis les deux femmes remontèrent le trottoir dévasté.

– Ça n'a rien de grandiose, prévint la maîtresse des lieux, essoufflée par la marche. Juste un séjour, une cuisine, deux chambres et une salle de bains. Mais E.B. et moi y avons élevé deux enfants, et sans problème.

Quand E.B. a quitté ce monde, mes enfants m'ont offert une caravane qui reste garée dans le jardin de mon fils aîné, de sorte qu'il y a toujours quelqu'un pour veiller sur moi si je tombe malade. Mais je ne voulais pas me séparer de cette vieille maison. J'y ai passé la majeure partie de ma vie. Et c'est une rentrée d'argent appréciable.

Les lattes du perron menaçaient de se briser sous son poids. Elle se débattit un bon moment avec la serrure, puis parvint à ouvrir la porte, en poussant un grognement de victoire.

— Nous y sommes. J'ai fait le ménage après le départ des précédents locataires, alors n'ayez aucune crainte.

La maison était en effet très propre. Ça sentait juste un peu le renfermé. Comment avaient-ils pu y tenir à quatre ? Le sol était recouvert d'un vieux linoléum craquelé, mais il suffirait d'y étendre quelques tapis. Tout aussi exiguë, la salle de bains possédait néanmoins une baignoire, en fibre de verre bleue, qui détonnait avec la cuvette et le lavabo blancs.

Daisy refit le tour des pièces, en essayant de les imaginer équipées, meublées et décorées. L'addition serait salée. Il faudrait acheter un climatiseur, tout l'électroménager, des sièges pour le salon... Elle en aurait facilement pour six mille dollars. Mon Dieu, elle n'avait jamais dépensé autant d'argent d'un coup. Son ventre se nouait rien que d'y penser. Mais c'était ça ou rester chez maman jusqu'à la fin de ses jours.

— Je la prends, s'entendit-elle déclarer.

Le visage bouffi de Mme Phipps s'illumina.

— C'est vrai ? Ça alors... J'aurais juré que vous

n'étiez pas faite pour... Le quartier était autrefois très agréable, mais ça s'est dégradé, et...

Son étonnement l'empêchait de trouver les mots.

Daisy croisa les bras et prit son visage de bibliothécaire.

— Le porche a grand besoin de travaux. Je peux m'en occuper, si vous voulez, à condition que vous déduisiez la note de mes premiers loyers.

Mme Phipps croisa les bras à son tour.

— Et pourquoi donc ?

— Dans un premier temps vos rentrées d'argent diminueront, mais cela vous permettra de louer plus cher à mes successeurs.

Le loyer s'élevant à seulement cent vingt dollars mensuels, la vieille femme devrait se serrer la ceinture pendant plusieurs mois.

— Je doute de pouvoir m'en sortir sans cet apport régulier, répondit-elle.

— Et si je vous payais un mois sur deux ? Je finance les réparations dès maintenant, puis je vous paye tous les soixante jours. Ou bien, dernière solution, vous prenez les travaux à votre charge et vous augmentez un peu le loyer.

Mme Phipps réfléchit.

— Je n'ai pas les moyens d'avancer une telle somme. Alors faisons comme vous dites. Mais je tiens à ce que ce soit écrit noir sur blanc. Et je veux aussi encaisser le premier loyer. Puis nous commencerons le système des mois alternés.

— Marché conclu, dit Daisy.

Elles scellèrent l'accord d'une poignée de main.

– C'est grand comme une boîte à chaussures ! commenta la tante Jo en découvrant la future maison de sa nièce, en début de soirée.

– C'est parfait, dit Evelyn. Une couche de peinture, des rideaux, et ce sera le paradis. De toute façon, elle ne va pas y rester cent sept ans. Elle trouvera vite l'âme sœur. Tu sais, Daisy, s'il y a quelque chose qui t'intéresse dans la cave, n'hésite pas à le prendre.

La mère de Daisy arpenta à nouveau la surface vide.

– Il te faudra un chien, ajouta-t-elle. Ou alors une alarme et des barreaux aux fenêtres.

Songeant que la deuxième option coûterait un bon millier de dollars supplémentaire, Daisy répondit :

– Tu as raison, je vais adopter un chien. Ça me fera de la compagnie.

– Et quand comptes-tu emménager ? demanda Joella.

– Je ne sais pas. Je dois faire installer l'électricité et le téléphone, mais ce sera rapide. Il faut aussi équiper la cuisine, acheter des meubles et des tapis, et accrocher des tentures. Sans compter les murs. Il faut vraiment les repeindre.

– Une bonne proprio l'aurait déjà fait faire, renâcla Evelyn.

– Tu oublies que je ne paie que cent vingt dollars de loyer.

– J'ai entendu dire que Buck Latham arrondissait ses fins de mois en faisant des travaux de peinture, indiqua Jo. Je l'appellerai ce soir pour savoir quand il est libre.

Et une saignée de plus dans son compte en banque...

– Je peux le faire moi-même, répondit Daisy.

– Non, ma nièce. Tu seras débordée.

– N'exagérons rien.

– Tu seras débordée, crois-moi !

– Si Jo te dit ça, expliqua Evelyn, c'est parce que nous avons pensé que tu devrais te rendre chez une esthéticienne.

Daisy ouvrit de grands yeux, puis lâcha un petit rire.

– Et où voulez-vous que j'en trouve une ? Je n'ai pas besoin d'être conseillée sur mon look. J'ai déjà tout prévu. J'irai chez Wilma pour une nouvelle coupe de cheveux, voire quelques reflets, puis j'achèterai du maquillage, et...

Les deux sœurs secouèrent lentement la tête.

– Ce ne sera pas suffisant, estima Joella.

– Comment ça ?

– Écoute, ma fille, si tu te lances là-dedans, ne lésine pas sur les moyens. Une coupe de cheveux et du maquillage ne te feront pas de mal, mais ce qu'il te faut par-dessus tout, c'est du style. Une présence, une allure, quelque chose qui attire le regard des hommes. Et tu ne trouveras pas ça au rayon cosmétique du super-marché.

– Mais toutes ces dépenses...

– Allons, ne sois pas sotte. Avec ce que tu as éco-nomisé, ce n'est pas demain que tu seras ruinée.

Daisy n'aimait pas qu'on lui force la main.

– Je vais d'abord procéder à ma façon. Et si c'est un échec, alors j'irai voir une esthéticienne.

– Entendu, répondit Jo. Mais ne confie pas tes che-veux à Wilma. Ça pourrait être fatal.

– C'est ta coiffeuse, pourtant !

– Peut-être, mais jamais ses saloperies chimiques ne

s'approcheront de mon crâne. J'ai vu des choses dans ce salon qui te glaceraient le sang.

Fidèle à son idée, Daisy s'arrêta au drugstore avant de rentrer chez sa mère, et investit vingt-cinq dollars en mascara, fard à paupières, fond de teint, crayon et rouge à lèvres. Elle fit ensuite une halte chez le vendeur de journaux pour feuilleter les magazines féminins, et prit le plus complet en matière de conseils de beauté. À son retour, sa tante la questionna sur ses emplettes.

— Qu'as-tu acheté ?

— Les essentiels. Je testerai les trucs plus sophistiqués, comme l'eye-liner, quand je maîtriserai les techniques de base. Je ferai un essai après le dîner.

Anniversaire oblige, Daisy eu droit à l'un de ses menus préférés : pain de viande, purée maison et haricots verts. Hélas, sa nervosité l'empêcha de savourer ce repas. Elle se sentait prise dans un grand tourbillon. Une fois la table débarrassée et la vaisselle faite, les deux sœurs s'installèrent devant *la Roue de la Fortune*, et Daisy se retira dans sa chambre pour se composer un nouveau visage.

Elle commença par lire une fiche pratique sur le fard à paupières : appliquer la teinte la plus claire sous le sourcil, la nuance intermédiaire sur la paupière, et la plus foncée dans le creux. Daisy ouvrit sa petite palette et contempla les quatre carrés de pigment « havane ». Cette couleur lui semblait assez fade, mais le bleu n'aurait pas convenu à son œil vert, ni le vert à son œil bleu. Et le mauve n'était même pas envisageable. Va pour le marron, donc.

Elle emporta son matériel à la salle de bains et l'aligna sur le rebord du lavabo. Elle commença par appliquer le fard clair sous le sourcil. Le résultat était imperceptible. Elle dut ensuite choisir entre les deux tons moyens dont elle disposait, qu'elle appliqua chacun au-dessus d'un œil. Mais là non plus, elle ne sut dire la différence entre les deux. Néanmoins son regard semblait déjà plus intense. Encouragée, elle passa à la touche plus sombre sous l'arcade sourcilière. Erreur de dosage : elle se retrouvait avec de véritables peintures de guerre. Estomper. Le magazine disait d'estomper. Elle s'exécuta, s'efforçant d'élargir la masse sombre.

Le reflet du miroir évoquait davantage Cléopâtre qu'Audrey Hepburn. Mais tout compte fait, ce n'était pas sorcier. Il suffisait d'y aller mollo sur le foncé.

Venait ensuite le mascara. À en croire ses lectures, il donnait de la profondeur. Elle trempa la brosse à spirale dans le tube puis badigeonna ses cils. À l'arrivée, on aurait dit que des chenilles avaient joué au toboggan sur ses paupières.

— Bon sang ! pesta-t-elle.

Ses cils étaient agglomérés en épis et collaient chaque fois qu'elle clignait des yeux.

Mais il était trop tard pour se défiler. Le fond de teint devait requérir moins d'entraînement. Elle passa son pinceau sur le carré de blush puis l'étala sur ses joues.

À sa surprise, la couleur paraissait bien plus vive sur sa peau que sur la palette. Ses pommettes devinrent rose écrevisse, comme si elle avait attrapé un coup de soleil.

Elle conclut rapidement la séance de mise en beauté par le crayon et le rouge à lèvres, sans savoir si cela rattrapait ou aggravait son état général.

Le résultat final était épouvantable. À mi-chemin entre un clown et un monstre de dessin animé. Elle avait vraiment besoin d'aide.

Penaude, elle descendit au salon, où *la Roue de la Fortune* tournait encore. Evelyn et Joella la dévisagèrent, interdites. Daisy rougit, ce qui accentua les effets du blush.

— Il doit y avoir truc, gémit-elle.

— Ce n'est rien, dit Evelyn en se levant pour la prendre dans ses bras. La plupart des filles sont passées par là à l'adolescence. Elles ont appris par tâtonnements. Tu n'as jamais essayé, c'est tout.

— Mais je n'ai pas le temps de tâtonner. Je veux être sortable tout de suite !

— D'où l'utilité d'une esthéticienne. Crois-moi, c'est la meilleure solution.

— Beth pourrait me confier ses trucs, suggéra Daisy.

— Je doute que ce soit une bonne idée, mon cœur.

— Pourquoi ça ?

Sa mère soupira, puis expliqua :

— Tu as toujours été considérée comme l'intello de la famille, et en réaction à ça, ta sœur s'est approprié la beauté. Ainsi la partie lui semblait plus équitable. Et je ne voudrais pas qu'elle pense que tu marches sur ses plates-bandes.

Daisy n'en croyait pas ses oreilles.

— Mais qu'est-ce que c'est que cette histoire ? Beth a toujours été bonne élève. C'est loin d'être une sotte.

Elle est à la fois jolie et intelligente. Alors où est le problème ?

– Le problème, c'est qu'elle se croit moins brillante que toi. Elle n'a pas fait d'études, par exemple.

– Oui, parce qu'elle s'est mariée juste après le bac et qu'elle a fondé une famille. C'était son choix.

En somme, elle avait fait ce dont Daisy rêvait tant aujourd'hui.

– Mais on est toujours fasciné par ce qu'on ne connaît pas, intervint Joella. Ce que dit Evelyn, c'est que tu vas la mettre en porte-à-faux. Elle se sentira obligée de t'aider, et elle le fera, mais ça risque de raviver de vieilles jalousies.

Daisy comprit qu'il était inutile d'insister.

– Très bien. Je n'ai plus qu'à trouver une esthéticienne à Chattanooga ou à Huntsville.

– À vrai dire, répondit Joella, on connaît quelqu'un qui fera ça très bien ici.

– Ici, à Hillsboro ? Quelqu'un qui vient d'arriver, alors ?

– Non, fit Joella avant de se racler la gorge. En fait, nous pensions à Todd Lawrence.

– Todd Lawrence ? s'étrangla Daisy. Vous plaisantez ? Ce n'est pas parce qu'un type est gay que c'est un pro du maquillage !

Affable et réservé, Todd Lawrence avait une quarantaine d'années. D'après sa veuve de mère, il avait fait une belle carrière à Broadway, bien que personne n'eût jamais aperçu son nom dans un journal. Il était revenu pour l'assister dans ses dernières années, et vivait à présent seul dans leur demeure victorienne située à l'entrée de la ville.

– Oh si ! Crois-moi, répondit Evelyn. L'an dernier, à Pâques, il m'a dit que j'avais une superbe robe carmin.

– Et alors ?

– Et alors, tu connais beaucoup d'hétéros qui emploient le mot « carmin » ? Et vu qu'il l'a fait devant tout le monde, j'en déduis qu'il ne cherche pas à cacher ses préférences sexuelles.

– Mouais, dit Joella. Je doute que « carmin » soit un indicateur suffisant. Un homme peut très bien avoir appris ce mot en examinant des échantillons de moquette avec sa femme. Non, je pense que « puce » serait un meilleur test. Oui, demande à Todd s'il connaît la couleur puce.

– Pas question ! protesta Daisy.

– Il faut savoir ce que tu veux, ma petite. C'est ça, ou lui demander de but en blanc s'il est de la jaquette.

Daisy leva les yeux au ciel.

– Écoutez, je crois qu'on s'égare un peu. À supposer que Todd soit gay...

– Mais il l'est ! répondirent les deux sœurs en chœur.

– D'accord, si vous voulez. Mais ça ne veut pas dire qu'il s'y connaisse en maquillage.

– Quand on a passé quinze ans à Broadway, on en connaît forcément un rayon, rétorqua Evelyn. Tous les comédiens savent se maquiller. De toute façon, je l'ai déjà appelé.

– Quoi ?

– Ne prends pas la mouche, Daisy. Il s'est montré

adorable, et il sera ravi de t'aider. Il attend ton coup de fil.

— Je ne peux pas faire ça, dit-elle en secouant la tête.

— Regarde-toi dans la glace, répliqua Joella.

Daisy obtempéra, sursauta, et jeta l'éponge.

— Vous avez gagné. Je l'appellerai demain matin.

— Fais-le tout de suite, ordonna Evelyn.

5

Daisy se leva dans un état de stress avancé. Malgré l'accueil charmant que Todd Lawrence lui avait réservé au téléphone, elle craignait de l'avoir vexé, et se sentait affreusement humiliée de quémander son aide pour une activité aussi triviale que le maquillage. Elle imaginait déjà les blagues à venir : Daisy Minor, mariée ? Vous plaisantez, elle ne sait même pas se servir d'un mascara.

Fait inédit, elle n'avait pas choisi ses vêtements du lendemain avant de se coucher. La voici donc perplexe devant sa collection de robes et de corsages vieillots qui lui sortaient par les yeux. Elle ne pouvait se résoudre à sortir ainsi une fois de plus. Consciente que sa paralysie allait la mettre en retard, elle finit par se glisser dans un pantalon noir – une grande première pour une journée de travail. N'ayant en revanche aucune alternative pour le haut, elle enfila un chemisier blanc qu'elle borda dans le pantalon. Puis elle chaussa des mocassins, et, sans oser affronter le miroir, empoigna son sac et dévala les escaliers.

Sa tante cilla devant sa tenue, mais s'abstint de tout commentaire.

– Alors ? demanda Daisy, que ce silence effrayait plus encore que les critiques.

Evelyn arriva de la cuisine et détailla sa fille du regard.

– Pas mal, dit-elle en hochant la tête. Ça change. Et le pantalon met ton derrière en valeur.

Dieu du ciel ! Elle n'oserait tourner le dos à personne de toute la journée. Elle consulta sa montre. Trop tard pour se changer.

– Étais-tu obligée de me dire ça ? gémit-elle.

Evelyn sourit.

– Où est le problème, ma fille ? Autant que je me souvienne, les hommes sont sensibles aux jolis popotins. Surtout, n'oublie pas de rouler des fesses.

Daisy crut flancher. De tels propos dans la bouche de sa mère ? Ce devait être un mauvais rêve.

– Tu sais comment on fait, s'assura Evelyn. À gauche, à droite, à gauche, à droite...

Elle illustra son propos en se déhanchant à travers le salon.

– Mais n'en fais pas des tonnes, prévint Joella. Sinon ça ressemble à deux cochons qui veulent s'extraire d'un sac.

C'en était trop. Prétextant ses contraintes horaires, Daisy s'éclipsa.

Elle s'apprêtait à ouvrir l'entrée de service de la bibliothèque quand une voiture blanche s'arrêta à son niveau, conduite par Jack Russo. Pitié, pas lui ! Elle pivota pour cacher son séant.

— Vous êtes en retard, dit-il sèchement en s'extrayant de son véhicule.

La montre de Daisy indiquait 9 heures moins douze secondes.

— Je suis pile à l'heure, se défendit-elle.

— Vous avez toujours trente minutes d'avance. Sauf aujourd'hui. Vous êtes donc en retard.

— Et comment savez-vous ça ? demanda-t-elle, sur ses gardes.

Il s'était planté devant elle, à quelques centimètres. Non content de lui chercher des noises, il la serrait de près, comme l'autre jour. Elle s'adossa à la porte.

— D'habitude, il y toujours de la lumière quand je passe devant la bibliothèque, le matin.

Elle rassembla ses forces et demanda, en bonne professionnelle :

— Je peux faire quelque chose pour vous ?

— Et comment ! Hier soir, j'ai voulu me connecter à la bibliothèque en ligne, mais ça n'a pas marché. Vous avez dû me filer un mauvais mot de passe ou un truc du genre.

Bien entendu, c'était elle qui était responsable de ses ennuis informatiques.

— Si la page d'accueil ne s'est pas affichée, ce doit être que votre navigateur date un peu.

Il la regarda d'un air idiot.

— Mon quoi ?

— Votre navigateur. Votre ordinateur a quel âge ?

Il haussa les épaules.

– Deux ou trois ans.

– Et vous n'avez jamais effectué de mise à jour ?

Elle connaissait déjà la réponse. Elle aurait aimé le laisser se débrouiller, mais son sens du service public le lui interdisait.

– Vous utilisez un ordinateur de bureau ou un portable ? demanda-t-elle.

– Portable.

– Dans ce cas, apportez-le, et je vous montrerai la manip. Si toutefois vous avez assez de mémoire.

À lui de décider si elle parlait informatique ou neurones. À sa grimace, elle devina qu'il penchait pour la seconde solution.

– Il est dans la voiture.

Il ouvrit la portière et s'empara de l'ordinateur posé sur le siège passager.

Daisy déverrouilla enfin la porte de service puis se retourna pour prendre le portable.

– Il sera prêt pour midi, dit-elle en tendant les mains.

Mais Russo garda sa machine sous le bras.

– Vous ne pouvez pas vous en occuper tout de suite ?

– C'est bien mon intention, mais cela prendra quelques minutes.

– Combien ?

– Vous ne devez pas prendre votre service ?

Il tapota le biper accroché à sa ceinture.

– Je suis toujours en service. Alors, ça prendra combien de temps ?

Quelle sangsue. Daisy chercha un délai suffisamment dissuasif.

— Disons, quarante-cinq minutes, une heure.

— Ça ira.

— Parfait, dit-elle en serrant les dents. Retrouvez-moi à l'entrée principale.

Elle poussa la porte de service, qui faillit se refermer sur le nez du policier.

— Je vais passer par ici, dit-il en calant son pied dans l'embrasure.

— Vous ne pouvez pas, protesta-t-elle.

— Pourquoi ça ?

N'était-ce pas évident ? Elle désigna l'écriteau qu'il avait sous les yeux.

— Entrée du personnel. Vous n'en faites pas partie.

— Je suis un employé municipal au même titre que vous.

— Mais vous ne travaillez pas à la bibliothèque. C'est ça qui compte.

— Qu'est-ce que ça peut faire, à la fin ?

— Désolée, mais c'est comme ça. Faites le tour, comme tout le monde.

Il resta planté là un instant, comme s'il envisageait de la bousculer, puis s'éloigna en grommelant. Elle l'entendit alors prononcer un juron, ce qui représentait, dans une petite ville comme Hillsboro, le stade suprême de la muflerie.

À peine était-elle arrivée à son bureau qu'un fort tambourinement se faisait entendre. Le barbare était à la porte. Elle traversa en hâte la salle obscure et lui ouvrit.

— Vous en avez mis du temps ! pesta-t-il.

— J'étais tétanisée par votre langage, répondit-elle

tout en le déchargeant de son ordinateur, qu'elle alla poser à côté de celui de la bibliothèque.

Il grommela de plus belle, mais de manière incompréhensible. Ce qu'il dit ensuite le fut hélas beaucoup moins :

— Vous me paraissez bien jeune pour être aussi coincée que les vielles rombières de ce patelin.

— La politesse n'est pas une question d'âge, mais d'éducation, répondit-elle avec calme.

Elle alluma le portable et le relia à la prise téléphonique.

— Vous insultez ma mère ? dit-il après un court silence.

— Je dirais plutôt que vous avez oublié ce qu'elle vous a appris.

— Putain ! soupira-t-il. C'est bon, je m'excuse. Il m'arrive d'oublier que j'habite le bled de *La Petite Maison dans la prairie*. C'est quoi son nom déjà ? Ah oui, Walnut Grove...

Si les mœurs de la province le gênaient tant, il n'avait qu'à rentrer chez lui. Mais il ne servait à rien d'en rajouter. La priorité était à l'apaisement.

— Excuses acceptées, dit-elle d'une voix tiède.

Elle s'assit, se connecta à Internet et saisit l'adresse du site désiré. Lorsque la page s'afficha, elle cliqua sur l'icône de mise à jour et laissa la technologie faire son œuvre.

— C'est tout ? demanda-t-il en observant l'écran.

— Oui, c'est aussi simple que ça. L'idéal est de recommencer régulièrement, au moins deux fois par an.

– Je suis épaté.

Il s'assit à côté d'elle. Trop près, bien entendu. Elle décala son siège de cinq centimètres.

– Vous êtes une as de l'informatique, alors ?

– Pas du tout. Je sais trouver mon chemin sur la toile, brancher une machine et installer des logiciels, mais je n'ai rien d'une fêlée de la bécane.

– La mairie n'est même pas reliée à Internet, dit Russo avec dépit. Seules les factures d'eau et la paye sont informatisées.

Il se pencha en avant, les coudes sur les genoux, et fixa l'écran comme s'il espérait ainsi accélérer le processus.

– Mais le commissariat doit l'être, n'est-ce pas ? demanda Daisy. J'imagine que vous avez accès à toutes sortes de fichiers centraux.

– Ouais. On nous a gracieusement offert une ligne et un ordinateur.

– Que voulez-vous : petite ville, petit budget. Pour compenser, on a la chance d'avoir un faible taux de criminalité.

– Oui, on peut dire ça. Il n'y a pas eu un seul meurtre depuis que je suis là. On en reste aux traditionnels cambriolages, agressions, conduites en état d'ivresse, violences conjugales...

Daisy brûlait de lui demander des noms, mais n'en fit rien. Elle ne pourrait s'empêcher de vendre la mèche à Evelyn et Joella, puis s'en voudrait de colporter des ragots.

S'était-il rapproché en douce ? Elle sentait à présent l'odeur et la chaleur de son corps. Comment expliquer que les hommes sécrètent des effluves si particuliers ? Était-ce dû à la testostérone, à une pilosité plus développée ? Non que ce fût désagréable. Au contraire... N'empêche qu'il se tenait trop près.

— Vous me collez un peu, dit-elle gentiment.

Il se contenta de vérifier l'espace entre leurs deux chaises. Quelques centimètres.

— Je ne vous touche pas.

— Je ne vous reproche pas de me toucher, mais d'être un peu trop près.

Il leva les yeux au ciel, puis s'éloigna d'un pouce.

— Et il en existe beaucoup, de ces règles sudistes à la noix ?

— En bon policier, vous devez posséder quelques notions de langage corporel. N'est-ce pas ainsi que vous intimidez les suspects, en envahissant leur espace ?

— Non, je préfère brandir mon neuf millimètres. Je trouve le message plus clair de cette façon.

Regardez-moi ce gros macho, à fanfaronner sur la taille de son engin. S'il ne venait pas de le faire, Daisy aurait levé les yeux aux ciel. Vivement que l'ordinateur ait fini de mouliner...

— Connaissez-vous la couleur carmin ? s'entendit-elle demander.

Il se raidit sur son siège, l'air soupçonneux.

— Pourquoi me demandez-vous ça ?

— Juste pour savoir. Alors ?

— Et pourquoi le saurais-je ?

— Je ne sais pas. Simple question.

— On dirait un de ces pièges de nanas pour découvrir

si un mec est pédé ou pas. Posez-moi la question franchement, si vous êtes intéressée.

— Je ne le suis pas ! protesta-t-elle. En fait, c'est à cause d'un type qui... Laissez tomber.

Le feu lui était monté aux joues. Ses yeux se réfugièrent sur l'écran.

Russo se passa la main dans les cheveux.

— Rouge, souffla-t-il.

— Comment ?

— Rouge. Carmin c'est le synonyme ampoulé de rouge. Ma femme l'employait souvent quand elle me traînait dans les boutiques de décoration.

Joella avait vu juste. Ce test n'était plus fiable. Daisy avait hâte de le lui confirmer.

— Et puce ? dit-elle en s'empourprant de plus belle.

— Comment dites-vous ?

— Puce. Vous connaissez la couleur puce ?

— Puce, comme une puce ? P-u-c-e ?

— Tout à fait.

Cette fois-ci, c'est son visage qu'il frotta.

— Il y a un piège ?

— Non.

— Puce ? Qui aurait l'idée d'en faire un nom de couleur ? Vous connaissez la couleur de ces bestioles, vous ?

— Je sais en tout cas que ça désigne une très jolie teinte.

— Si vous le dites.

— Alors, vous donnez votre langue au chat ?

— Oui, je donne ma langue au chat ! aboya-t-il. Je connais les vraies couleurs, moi. Le bleu, le vert, le rouge, les trucs normaux, quoi. Votre puce, là, je suis sûr que vous l'avez inventée.

— Allez donc voir dans le dictionnaire. Ce n'est pas ce qui manque, ici.

Visiblement agacé, il se leva et se rendit d'un pas lourd à l'étagère adéquate. Il tira un volume, le feuilleta rapidement, promena son index sur une page et lut à voix haute :

— « Rouge brun assez foncé. » (Il secoua la tête.) En tout cas, si j'en voyais, il ne me viendrait pas à l'idée de dire : « Oh, mais c'est du puce ! »

— Et que diriez-vous, alors ?

— Je sais pas, moi. Marron-rouge. À quoi ça sert, de toute façon ? Qui aurait l'idée d'entrer dans une boutique pour demander une chemise puce ? Ou une voiture puce ? J'ai déjà du mal à comprendre ceux qui roulent en bagnole violette. Y'a vraiment que les tantouses pour connaître ça.

— Et vous, à présent. Dorénavant, dès que vous verrez un objet marron un tant soit peu rouge, vous penserez aussitôt « puce » !

— Bon sang, je suis tombé sur une cinglée.

Il jeta un œil sur l'écran.

— Je crois que c'est terminé, dit-il.

Il consulta sa montre.

— On est loin des quarante-cinq minutes dont vous parliez. À peine un quart d'heure, miss Daisy. Comme quoi, vous n'êtes pas la sainte-nitouche que vous prétendez être.

Elle serra les dents et se promit de le gifler s'il lui donnait encore du « miss ».

– Qu'entendez-vous par là ? demanda-t-elle tandis qu'elle débranchait les câbles.

Il récupéra son portable.

– Vous mentez comme vous respirez, dit-il avant de tourner les talons.

Son culot la laissa sans voix.

6

Jack Russo remonta dans sa voiture de bonne humeur. Il prenait grand plaisir à asticoter miss Daisy. Elle se braquait, rougissait, mais ne s'avouait jamais vaincue. Elle lui rappelait sa grand-tante Bessie, qui l'avait accueilli plusieurs étés de suite à Hillsboro dans son enfance. Une femme stricte et collet monté, mais avec un cœur en or.

Ses parents avaient décidé d'envoyer leur fiston de dix ans à la campagne deux mois par an pour lui montrer que le monde ne se réduisait pas au béton de Chicago. Au début, ce fut un déchirement. Passer tout un été sans sa famille, sans ses amis, sans ses jouets... Les premiers jours furent d'un ennui mortel. Tante Bessie ne recevait que quatre chaînes de télévision et tricotait chaque après-midi devant ses feuilletons. Elle assistait à deux messes le dimanche, lavait les draps le lundi, passait la serpillière le mardi, et faisait les courses le jeudi car c'était le jour des promotions. Jack n'avait pas besoin de montre ; il lui suffisait de regarder sa tante pour connaître l'heure. Et cette chaleur... Bessie ne possédait pas la climatisation, qu'elle jugeait superflue. Elle se contentait d'un ventilateur dans chaque pièce et de savants courants d'air.

Pourtant, le petit Jack avait peu à peu découvert les joies de la campagne – le plaisir de s'allonger dans l'herbe au crépuscule pour observer les lucioles, de cultiver le jardin potager et de cuisiner des légumes frais... Il se lia rapidement aux gamins du quartier, passa des journées entières à jouer au foot et au base-ball, apprit la chasse et la pêche auprès du père d'un copain. Au final, ces six étés consécutifs, qui prirent fin à ses quinze ans, resteraient parmi les meilleurs moments de sa vie.

Vingt ans s'étaient écoulés depuis lors, et il n'avait rendu visite à sa vieille tante qu'à l'occasion des fêtes. Brefs séjours où il goûtait la compagnie de Bessie et ne prenait pas la peine de renouer avec ses anciens camarades. Ainsi Jack Russo n'avait-il pu marquer la mémoire vivante de Hillsboro. Depuis qu'il s'y était établi, un seul habitant lui avait dit se souvenir de lui.

À la mort de Bessie, trois ans plus tôt et à l'âge de quatre-vingt-onze ans, il avait été surpris et ému d'apprendre qu'elle lui avait légué sa maison. Il décida aussitôt de quitter New York. Il venait de divorcer, et malgré son ascension fulgurante au sein du NYPD, le stress et les contraintes commençaient à lui peser. Si le Groupe d'intervention spécial l'avait comblé de sensations fortes, il avait aussi contribué à l'échec de son mariage. En dépit des multiples griefs sans fondement émis par sa femme, il ne pouvait lui donner tort sur un point : vivre avec un flic de choc n'est pas une sinécure, a fortiori lorsqu'il risque sa vie à chaque mission. Et puis, il avait trente-six ans, dont quinze sur le terrain, à Chicago puis à New York. Il était temps de raccrocher pour un poste plus paisible.

Il avait fait quelques voyages à Hillsboro pour évaluer l'état de la vieille bâtisse et sonder ses opportunités professionnelles, et en un rien de temps s'était retrouvé dans le bureau du maire qui lui proposait de diriger les forces de l'ordre locales. De retour à New York, il présenta sa démission, qui lui valut moult sarcasmes sur le thème « préretraite chez les ploucs », fit ses cartons et mit le cap vers le sud. Il dirigeait aujourd'hui un effectif de trente personnes, un chiffre dérisoire comparé à ses unités précédentes, mais il estimait avoir fait le bon choix.

Si l'action lui manquait parfois, il aimait veiller à la tranquillité de sa ville d'adoption. Et les conseils municipaux ne manquaient pas de piquant. Le dernier en date avait vu la moitié des concitoyens au bord de l'insurrection suite à la décision d'installer des feux tricolores autour de la grand-place. À les écouter, on avait violé tous les amendements de la Constitution ! Si cela ne tenait qu'à lui, Jack aurait planté des feux dans tout le centre-ville, et aux abords de chaque école. Hillsboro était peut-être Walnut Grove, mais la circulation se densifiait sans cesse, et il ne voulait pas attendre qu'un gosse se fasse renverser pour qu'on se décide à agir.

Eva Fay Storie, sa secrétaire, était au téléphone quand il arriva au bureau. Elle lui fit signe de s'arrêter et lui tendit une liasse de petits messages roses ainsi qu'une tasse de café fumant. Quelle que soit l'heure de son arrivée, il était accueilli par un café tout juste moulu. Quelle était son astuce ? À croire qu'elle avait branché un capteur sur sa place de parking. Un de ces jours, il se garerait dans la rue pour la surveiller.

Il avait reçu un appel d'un ami inspecteur du comté de Marshall. Il mit les autres papillons de côté et décrocha son téléphone.

— Petersen à l'appareil.

— Alors, quoi de neuf ?

Jack n'avait pas besoin de s'annoncer. Son accent parlait pour lui.

— Salut, Jack. Écoute, on a un corps non identifié sur les bras. Jeune, de sexe féminin, probablement une Mexicaine. Des mômes l'ont trouvée hier soir.

Jack se renversa sur le dossier de son siège. Aucune disparition n'avait été signalée ces derniers mois à Hillsboro. Et la communauté latino était quasi inexistante.

— Et alors ?

— Et alors on n'a pas le moindre indice. La pluie a effacé toute trace éventuelle, et la cause du décès demeure inconnue. Ni blessures, ni marques de strangulation, pas le moindre hématome. Que dalle.

— Overdose ?

— J'y ai pensé. On assiste à une recrudescence des cas de GHB dans tout le secteur Hunstville-Birmingham.

— Tu crois qu'elle a été violée ?

— J'attends les résultats de l'autopsie. Mais je parie

que oui. Elle portait une robe, mais pas de sous-vêtements. On a eu une affaire similaire il y a quelques
mois à Huntsville, et...

– Oui, je m'en souviens. Ça y ressemble beaucoup,
en effet.

Ils se turent un moment. Si un type avait entrepris
de droguer une fille pour la violer, tout portait à croire
qu'il allait récidiver. Le problème, c'est que le GHB
était un produit très répandu ; il faisait la joie des ména-
gères – c'était avant tout un détergent domestique –,
mais aussi des culturistes et des athlètes du dimanche.
Et les femmes qui se réveillaient sans aucun souvenir
de leur nuit, mais dont le corps portait les traces d'une
agression sexuelle, étaient hélas trop nombreuses pour
que l'on isole un coupable en particulier. Sans compter
que la plupart se gardaient bien d'alerter les autorités.

– En quoi puis-je t'être utile ? demanda Jack.

– Je me demandais si vous aviez des cas de GHB à
Hillsboro.

– Pas à ma connaissance. Mais c'est une ville sèche.

Le GHB sévissait essentiellement dans les bars et les
discothèques, car l'alcool masquait à merveille son goût
salé.

– Il t'arrive de fréquenter les bouges du coin ?
demanda Petersen. En dehors du service, j'entends.

– Tu veux rire ? Je suis trop occupé – et trop vieux –
pour ça.

– Il n'y a pas d'âge, tu sais. Tu serais surpris par le
nombre de vioques qu'on y croise. Justement, je me
disais que, puisque tu ne vas jamais te distraire à Scottsboro ou dans le comté de Madison, tu passerais faci-

lement incognito. Tu me suis ? Tu pourrais faire la tournée des bars, tendre l'oreille à ce qui s'y dit, et ouvrir l'œil au cas où un type louche glisserait des cachetons dans le verre de ces dames. Une petite mission d'infiltration, en somme.

– Et qui restera entre nous, j'espère !

– Cela va de soi. Un truc officieux. Sur ton temps libre. Qu'est-ce que t'en dis ?

– Je doute que ça nous apprenne quoi que ce soit.

– Je te l'accorde. Mais j'en ai assez de voir les filles du comté tomber comme des mouches. Je peux toujours interroger mes indics habituels et arrêter quelques types pour usage de stupéfiants. Mais ça n'arrêtera pas notre homme. En l'état actuel des choses, tu es mon seul espoir.

– Mais imagine que la DEA[1] ait déjà des mecs dans la place. Tu n'as pas peur qu'on leur sabote le travail ?

– On les emmerde, lança Petersen.

Jack éclata de rire, car il était du même avis. S'il entrait sur une chasse gardée, ce serait involontaire. Après tout, rien ne lui interdisait d'écumer les bars. Et puis, ça lui dégourdirait les jambes.

– Qui d'autre sera au courant ? demanda-t-il.

– Je ne vois pas de quoi tu parles, s'amusa Petersen. Cette réponse suffit à Jack.

– Entendu, j'accepte. Je suppose que tu ne sauras pas m'aiguiller vers une boîte en particulier ?

– Mon expérience est plutôt nulle en la matière. Mais

---

1. Drug Enforcement Administration : Agence fédérale chargée de la répression du trafic de drogue. (*N.d.T.*)

j'ai entendu dire que le Hot Wing de Scottsboro bougeait pas mal. On m'a également parlé du Buffalo Club, à Madison, et du Sawdust Palace à Huntsville. Je peux trouver d'autres adresses, si tu veux.

– C'est ça, faxe-moi une liste.

Les deux hommes raccrochèrent.

Jack sentit l'adrénaline affluer dans ses veines. Une bonne vieille sensation qu'il n'avait pas éprouvée depuis longtemps. Cette mission serait sans commune mesure avec une prise d'otages ou une fusillade en pleine rue, mais la cause était tout aussi noble. Si un enfoiré violait et tuait des femmes à coups de GHB, Jack se ferait une joie de lui régler son compte.

Ce soir-là, Daisy respira un grand coup, se racla la gorge, et frappa chez Todd Lawrence. La porte d'entrée était une véritable œuvre d'art, d'un bleu assorti aux volets et moiré de fines rayures vertes rappelant les nombreuses plantes alignées sur le porche. Les petits carreaux étaient éclatants, comme si on venait de les passer au vinaigre. Deux bras de mur en bronze encadraient la porte, qui diffusaient une douce lumière accueillante.

Une silhouette sombre s'approcha, puis la porte s'ouvrit sur un Todd Lawrence tout sourire.

– Bonjour, Daisy. Comment vas-tu ? Entre donc.

Il recula pour la laisser passer.

– Ça fait un bail qu'on ne s'est vus ! Je ne passe pas assez souvent à la bibliothèque. Depuis que j'ai ouvert ma boutique à Huntsville, je n'ai plus une minute à moi.

Cet homme savait tout de suite mettre les gens à l'aise, même les plus anxieux. Il mesurait un bon mètre quatre-vingt-dix, et portait un pantalon à pinces beige et une chemise en chambray aux manches retroussées.

– C'est la rançon du succès, répondit-elle en s'asseyant sur le divan fleuri de la véranda.

– Ne m'en parle pas. Je passe un temps fou dans les salles de ventes. Le plus souvent, on n'y trouve que de la pacotille ou des imitations, mais il arrive qu'on déniche un vrai joyau. L'autre soir, j'ai acheté un paravent oriental peint à la main pour moins de cent dollars, que j'ai revendu le lendemain à trois mille. J'avais un client qui en cherchait un depuis longtemps.

– Il faut avoir le coup d'œil pour distinguer les vraies antiquités des copies. Ça demande des années d'études, non ?

Il haussa les épaules.

– J'ai appris sur le tas. Mais je n'ai pas eu à me forcer. J'ai toujours aimé les meubles précieux.

Il porta ses mains à sa taille et examina son invitée en inclinant la tête. Venant d'un autre homme, cette attitude l'aurait terrifiée.

– Alors, on souhaite se relooker ?

– Oui, de la tête aux pieds. J'en ai marre de ressembler à une serpillière. J'ai acheté du maquillage, mais je n'ai pas su m'en servir.

– Il y a quelques petits trucs à connaître.

– Ah ! Je le savais.

– Il suffit d'un peu de pratique, et d'avoir la main

légère. Je peux t'apprendre ça en moins d'une heure. Quoi d'autre, à part le maquillage ?

Il la mettait au supplice en lui demandant d'énumérer ses défauts. Ne sautaient-ils pas aux yeux ?

– Eh bien, il y a mes cheveux. Je pensais demander des reflets à Wilma.

– Tu n'y penses pas, malheureuse !

– C'est exactement ce qu'on m'a dit à la maison.

– Et c'était frappé au coin du bon sens. Wilma ne connaît rien aux nouveaux produits. Elle doit utiliser les mêmes saletés chimiques depuis quarante ans. Mais on trouve de bons coiffeurs à Huntsville ou à Chatta-nooga, qui éviteront de te cramer la tête.

Il lui prit une mèche de cheveux et la roula entre ses doigts.

– Ils sont en bon état. Il y a de quoi faire.

– Mais ils n'ont pas de volume.

– Ce n'est pas un problème. Un coup de ciseaux les fera gonfler un peu, et il existe d'excellents produits pour les modeler facilement.

Il la dévisagea à nouveau, songeur.

– Oublie les reflets. Tu devrais carrément te faire teindre en blonde.

– En blonde ?

– Oui, mais pas en blond platine. La coiffeuse appli-quera plusieurs teintes afin de recréer un aspect naturel.

Pour elle qui ne connaissait que le shampooing, un tel projet semblait aussi ambitieux que d'envoyer un homme sur la lune.

– Et ce sera long ? demanda-t-elle.

– Il faudra compter quelques heures. Elle procèdera en deux fois.

– C'est-à-dire ?

– Elle te décolorera les cheveux, puis les repigmentera.

– J'y réfléchirai, promit-elle d'un air dubitatif.

– Crois-moi, tu as tout à y gagner. Sinon, à part le visage et les cheveux ?

Elle soupira.

– Mes habits. Je n'ai aucun goût vestimentaire.

Il regarda sa tenue. Fatiguée d'avoir à cacher son derrière, elle avait troqué son pantalon contre une jupe en rentrant du travail.

– Je vois ce que tu veux dire, s'amusa-t-il.

Elle se mit à rougir.

– Ne t'en fais pas, dit-il en l'aidant à se relever. Tu n'as jamais essayé de te mettre en valeur. Mais tu as un fort potentiel.

– Vraiment ?

– Si je te le dis. Vas-y, tourne-toi un peu.

Elle s'exécuta.

– Tu as une ligne impeccable. Tu devrais la montrer, au lieu de la cacher sous ces fripes de mamie. Ta peau est délicate, tu as une superbe dentition, et j'adore ces yeux vairons. Je parie qu'ils t'ont complexée toute ta vie.

Le silence de la jeune femme fut éloquent.

– Mais joues-en, nom d'une pipe ! C'est rare, et ils possèdent un charme mystérieux. Tu aurais un œil marron et l'autre bleu, je comprendrais que ça te gêne. Mais bleu et vert, c'est magnifique. Tu sais, Daisy, tu ne seras jamais une beauté renversante. Mais tu peux être très, très mignonne.

— Je n'en demande pas plus. Je me vois mal en femme fatale.

— Beaucoup disent même que c'est un handicap. Allez, suis-moi. C'est dans ma salle de bains qu'on aura le meilleur éclairage. Si ça ne te fait pas peur, bien sûr.

Pour se rendre à destination, ils durent traverser la chambre de Todd, tout en acajou marqueté, avec un grand lit à baldaquin voilé de tulle et des plantes en pot disséminées au quatre coins de la pièce. Daisy en était jalouse.

La salle de bains n'était pas moins soignée. Il l'avait peinte en vert et blanc, avec quelques touches pêche et bleu pastel. C'était la première fois qu'elle pénétrait dans le cabinet de toilette d'un homme.

— Désolé, mais je n'ai pas de tabouret. Les mecs ne se rasent pas assis, tu comprends. Bon, tu vas commencer par dégager les cheveux de ton visage. Tu as un élastique ou une barrette ?

Elle fit non de la tête.

— Dans ce cas, coince-les derrière tes oreilles et maintiens ta frange en arrière.

Elle obéit, les mains tremblantes. Le trac.

Todd sortit d'un tiroir un coffret gros comme une boîte à outils. Il en défit le loquet, souleva le couvercle, et déplia les compartiments remplis de toutes sortes de brosses, de tubes, de pots et de palettes.

— Seigneur ! s'exclama Daisy. Il y en a plus qu'au supermarché !

Il rit.

– J'adore cette mallette. Elle me rappelle Broadway. Il fallait se maquiller à la truelle pour ne pas être blafard sous les projecteurs.

– Tu as dû passer de bons moments. Je ne suis jamais allée à New York. À vrai dire, je n'ai pas fait grand-chose de ma vie.

– Ouais, c'était chouette.

– Pourquoi es-tu rentré ?

– Le mal du pays. Et puis, ma mère avait besoin qu'on s'occupe d'elle.

Son ton devint soudain plus sérieux :

– Bon, mettons-nous au travail.

Une petite heure plus tard, Daisy se contemplait devant la glace, bouche bée. Elle ne voyait pas une beauté fatale, mais une femme séduisante, assurée, épa-nouie. Elle ne se fondait plus dans le décor. Les hommes allaient enfin la remarquer !

Elle savait à présent que ce n'était pas bien difficile. Il suffisait d'y aller avec parcimonie, et de garder un mouchoir et un Coton-Tige à portée de main pour réparer les erreurs ou absorber les excédents. Même le mascara était facile à manier, pourvu qu'on pense à égoutter la petite brosse avant de la passer sur les cils.

– Ils auraient quand même pu indiquer le mode d'emploi sur le tube, dit-elle. Ça tiendrait en deux lignes.

– C'est qu'ils ont déjà beaucoup de choses à écrire. Ne pas se crever l'œil, ne pas avaler... Ils partent sûre-ment du principe qu'on trouvera toujours la solution.

– Et je l'ai trouvée, murmura-t-elle devant son reflet.

– Pourquoi, tu en doutais ? Il s'agit à présent de te

76

trouver un style. Que préfères-tu ? Nature, bonne société, ou bombe sexuelle ?

Todd la salua depuis le perron tandis que la Ford s'éloignait. Il souriait jusqu'aux oreilles. C'était la première fois qu'il passait du temps avec Daisy, et il l'appréciait beaucoup. Sa naïveté était touchante, au même titre que sa fraîcheur, sa droiture et sa franchise. Sans compter sa plastique irréprochable. Elle se demandait encore comment tirer parti de son physique. Mais pas lui. Quand il en aurait fini, elle ferait un malheur.

Il se précipita sur le téléphone et composa un numéro. Dès qu'il entendit décrocher, il annonça :

– J'ai une candidate. Daisy Minor.

7

Glenn Sykes était un professionnel. Méticuleux, il avait le sens du détail et ne se laissait pas dominer par ses émotions. Il n'avait jamais séjourné en prison, et, à en croire un casier judiciaire vierge, n'avait même pas écopé d'une amende pour excès de vitesse. Il s'était déjà fait arrêter par la police de la route, bien sûr, mais son permis de conduire indiquait une fausse identité, celle qu'il s'était choisie quinze ans plus tôt.

Son indéfectible discrétion expliquait en partie son succès. Il buvait très peu – et toujours seul, sur son temps de repos –, ne faisait pas de vagues et soignait son apparence, partant du principe que les forces de l'ordre étaient plus attentives aux types sales et négligés. Dans la rue, on le prenait pour Monsieur-Tout-le-monde, le genre bon père de famille propriétaire d'un pavillon dans les quartiers bourgeois de la ville. Il n'arborait ni boucle d'oreille, ni chaînette, ni tatouage, autant de petits signes que les gens remarquaient. Il gardait ses cheveux sable courts, portait une banale montre à trente dollars bien que ses moyens lui eussent permis d'exhiber une Rolex, et surveillait ses paroles.

Et, pour toutes ces raisons, il tenait Mitchell en horreur. Le macchabée allait attirer l'attention des autorités. L'enquête avait peu de chances d'aboutir, car il avait pris soin de ne laisser aucun indice derrière lui, mais une erreur était vite arrivée et les flics avaient parfois de la chance. Mitchell mettait toute l'entreprise en péril, et il n'hésiterait pas, en cas d'arrestation, à vendre la mèche au district attorney en vue d'une réduction de peine. En somme, ses bêtises pouvaient tous les envoyer en prison.

Le plus rageant était qu'il existait d'autres moyens de droguer une fille récalcitrante. Le GHB était une pure saloperie. Il suffisait parfois de deux verres pour causer un coma irréversible. Pourquoi ce crétin n'essayait-il pas d'autres expédients ? Le choix ne manquait pas. Même la bibine pouvait marcher. Mais non, il cédait à la facilité, persuadé que tout irait bien. Quelle inconscience...

Il fallait en finir avec Mitchell, avant qu'il ne les fasse tous tomber, et Temple Nolan avait implicitement donné son feu vert. Sous ses dehors de gentleman-farmer, monsieur le maire ne s'embarrassait pas de scrupules lorsque ses intérêts étaient en jeu, fallût-il en passer par un meurtre. Même si, aux yeux de Sykes, l'élimination de Mitchell n'était pas tant un assassinat qu'une opération de salubrité publique, comme de piétiner un cafard.

Mais il fallait d'abord le retrouver. Même la plus petite des vermines est mue par l'instinct de survie. Mitchell était passé à l'ombre : il désertait ses repaires habituels. Puisque la bête se savait traquée, Sykes décida de la jouer finement. Il aurait adoré se présenter à la caravane de Mitchell pour lui loger une balle entre les deux yeux, mais, là encore, prudence est mère de sûreté. Et il savait d'expérience que les voisins ont l'art d'être à la fenêtre au mauvais moment. Il y avait d'autres façons de liquider quelqu'un. Avec un peu de doigté, on pouvait même faire croire à un regrettable accident.

Mitchell connaissait le véhicule de Sykes, aussi ce dernier emprunta-t-il la voiture d'un copain pour sillonner le lotissement de sa proie – à supposer que l'on puisse qualifier de lotissement deux caravanes et une baraque délabrée, cernées d'immondices. C'était le genre de quartier peuplé de mégères en bigoudis engoncées dans des corsages cradingues, et de types aux cheveux gras et aux dents jaunes persuadés d'être les laissés-pour-compte du système. Sykes évita de tourner la tête en effectuant son repérage, et se contenta de balayer le paysage du regard. Le pick-up bleu de Mitchell n'était pas là. Sykes reviendrait à la tombée de la nuit, par acquit de conscience, des fois qu'il y eût de la lumière dans la caravane, mais il ne se faisait guère d'illusions. Le cafard n'allait pas refaire surface de sitôt.

Le mode de vie minable de Mitchell ne manquait jamais de rappeler à Sykes son propre passé, et comment il avait su tirer son épingle du jeu. S'il n'avait pas su prendre les bonnes décisions au bon moment, il ne vaudrait pas mieux que Mitchell à l'heure qu'il était. Il venait du même milieu, en connaissait la mentalité. Et n'y replongerait pour rien au monde.

En prévision de l'avenir, Sykes économisait tant qu'il pouvait. Il menait une vie décente mais frugale, et ne souffrait d'aucun vice dispendieux. Il s'était même constitué un petit portefeuille d'actions, qui lui assurait des dividendes modestes et néanmoins réguliers. Un jour, quand il aurait amassé un joli petit pécule – bien qu'il ne sût combien cela représentait au juste –, il se rangerait des voitures et se retirerait dans une ville où personne ne le connaissait. Monterait une petite affaire et deviendrait un membre respecté de la communauté. Qui sait, peut-être même qu'il se marierait et élèverait des chiards. Il imaginait difficilement le tableau, mais après tout pourquoi pas ?

Les bourdes de Mitchell n'hypothéquaient pas seulement le futur proche de Sykes, mais l'ensemble de ses projets. Des projets qui lui avaient permis de s'extraire de la misère, lui avaient offert un but à suivre quand il eût été tellement plus simple de se complaire dans la misère. Il était toujours plus facile de ne rien faire. Ne t'embête pas à faire le ménage ou à tondre la pelouse. Descends plutôt un deuxième pack de bières et roule-toi un autre joint. Les gosses ont faim ? C'est pas grave. Dès que tu recevras ton alloc, tu referas des stocks d'alcool et de came. On verra plus tard pour la bouffe.

C'était céder à la facilité. Mais les plus forts, les futés comme lui, avaient compris que la difficulté restait la seule porte de sortie. Et quoi qu'il arrive, Sykes s'était juré de ne jamais replonger.

Entre ses préparatifs d'emménagement et Todd qui régentait chaque minute de son temps libre, Daisy ne savait plus où donner de la tête. Mais elle tenait bon, stimulée par les premiers résultats de sa métamorphose.

Ne s'estimant pas de taille à jouer les « bombes sexuelles », et faute de savoir en quoi consistait le style BCBG, elle avait penché pour la solution « nature ». Mais Todd n'était pas du même avis.

— Je pense que BCBG te conviendra à merveille, dit-il lorsqu'elle se présenta chez lui le samedi après-midi pour leur expédition à Huntsville. Oui, ce style de coiffure siéra mieux à ton visage.

— Parce qu'il existe un style de coiffure BCBG ?

— Bien sûr. Sobre, régulier, pas trop long, juste au-dessus des épaules. Au fait, on va aussi te faire percer les oreilles.

— Mais pourquoi ? bredouilla-t-elle en se passant les doigts sur les lobes. Je veux un relookage, pas un bain de sang !

— Parce que les boucles à clip sont affreusement inconfortables, poupée. Ne t'inquiète pas, ça ne fait pas mal.

Elle aurait aimé lui rétorquer qu'il n'était pas expert en la matière, mais elle remarqua qu'il avait un trou à chaque oreille.

Il lui tapota la main avec affection.

— Allez, un peu de courage. Il faut souffrir pour être belle.

Daisy cherchait encore une réplique quand il la pressa dans la voiture et s'engagea sur la route de Huntsville.

Première étape : un salon de beauté, à mille lieues de l'officine exiguë de Wilma. Dès son arrivée, on demanda à Daisy ce qu'elle désirait boire. Elle répondit « un café » mais Todd avait une autre idée en tête :

— Du vin. Elle a besoin de se détendre.

L'hôtesse d'accueil, cheveux courts peroxydés et sourire avenant, s'éloigna en pouffant et revint avec un véritable verre à pied, et non un gobelet de plastique ou de polystyrène comme Daisy s'y attendait. Todd avait décidément un goût très sûr. La jeune femme examina ensuite son cahier de rendez-vous.

— Amy sera à vous dans un instant. C'est notre meilleure visagiste, alors soyez sans crainte. Vous serez méconnaissable en sortant.

— Je vais lui toucher deux mots avant de partir, dit Todd en disparaissant derrière une porte.

Daisy but une grande gorgée. Partir ? Todd allait l'abandonner ? Seigneur, quelle épreuve...

Trois heures et trois verres plus tard, la séance de torture prit fin. On avait badigeonné ses cheveux de produits à l'odeur âcre, qui éliminèrent les pigments naturels et lui donnèrent l'air d'une « punkette » effrayée par un télévangéliste. Après rinçage, on avait coloré ses mèches une à une à l'aide d'une petite brosse, avant de les envelopper séparément dans du papier alu. La punkette se mua ainsi en créature de l'espace, équipée pour capter toutes les chaînes du câble.

Pendant ce temps, d'autres employées avaient épilé ses sourcils à la cire – aïe ! – et s'étaient occupées de ses mains et de ses pieds. Ses ongles étaient à présent d'égale longueur, soigneusement limés et vernis de rose transparent. Ses orteils étaient en revanche parés d'un rouge flamboyant, terriblement sexy.

Ouf ! Le plus dur était passé. Elle reprit place dans le fauteuil de coiffure. Les ciseaux d'Amy s'activèrent, prestes et assurés, recouvrant le sol d'un épais humus. Daisy suivait la scène avec calme, un sourire en coin.

– Tu as bu combien de verres ? railla Todd à son retour.

– Seulement trois, répondit-elle.

– Eh bien, j'espère que tu n'avais pas le ventre vide.

– Bien sûr que non. Et puis, Amy m'a offert un crois-sant. Je ne suis pas pompette !

– Peut-être un peu, dit-il en adressant un clin d'œil à la coiffeuse.

Il se cala contre la console pour observer la suite des opérations. Sous le souffle du sèche-cheveux, Amy modela les cheveux à la brosse ronde. Daisy étudia ces gestes de près afin de les reproduire chez elle. Ça n'avait pas l'air compliqué, mais elle s'était dit la même chose pour le mascara.

Le séchage révéla peu à peu sa nouvelle blondeur. Composite, dorée par endroits, sablée par d'autres. Brillants et souples, ses cheveux avaient doublé de volume. Ils ondoyaient lorsqu'elle tournait la tête, puis repre-naient aussitôt leur position initiale. La coupe était simple, comme Todd l'avait promis, avec une petite raie sur le côté. Les pointes rebiquaient vers l'intérieur, à la base du cou.

Todd félicita Amy d'un baiser sur la joue.

— T'as fait du bon boulot, ma cocotte.

— Elle a de beaux cheveux, tu sais. Ils ne sont pas très épais, mais robustes et souples à la racine. En suivant ma technique, elle pourra retrouver cette tête chaque matin.

Au moment de passer à la caisse, Todd s'assura que Daisy repartait avec les produits recommandés par Amy et dut lui rappeler de sortir son chéquier. Dieu merci, c'était lui qui conduisait. L'alcool ingurgité mêlé au ravissement avait plongé sa protégée dans un état second qui, à vrai dire, tombait à point nommé : leur prochain arrêt fut chez un bijoutier qui lui perça les deux oreilles en moins d'une minute. Elle ressentit tout au plus un léger picotement et quitta la boutique avec un petit anneau doré à chaque lobe.

Les quatre heures suivantes eurent raison de ses ultimes forces. Elle essaya des vêtements jusqu'à épuisement et, ce faisant, devina ce que Todd entendait par BCBG : des tenues sobres mais bien taillées et ajustées avec goût, telle une jupe beige coupée au-dessus du genou avec un corsage blanc sans manches et une fine ceinture pour souligner sa taille. Elle acheta ensuite des sandales à talon, pour exhiber ses orteils laqués de frais, et des escarpins bicolores, noir et gris.

— Jamais blanc, l'avertit Todd. Le blanc ne vaut que pour les chaussures de sport.

— Mais...

— Il n'y a pas de mais, Daisy. Fais-moi confiance.

Jusqu'ici Todd avait fait un parcours sans faute, alors elle n'insista pas.

Sans regarder à la dépense, elle s'offrit ensuite un flacon de parfum, deux sacs à main, et des boucles d'oreille. Puis Todd la persuada d'acheter un bracelet de cheville :

— Il n'y a rien de plus sexy, chérie, souffla-t-il d'une voix languide.

Sur le chemin du retour, Daisy resta perdue dans ses songes. Cette journée ferait date dans son existence. L'ancienne Daisy Minor avait vécu. Place à une nouvelle femme, décidée à montrer le meilleur d'elle-même, ne fût-ce que pour sa propre fierté.

Au bout d'une quinzaine de kilomètres, Todd rompit le silence :

— Si ce n'est pas indiscret, qu'est-ce qui a motivé ce changement radical ?

— Mon trente-quatrième anniversaire, répondit-elle.

— Pas possible ! Tu ne les parais pas !

— Tu me taquines.

— Parole d'honneur ! Je te croyais plus jeune. C'est plutôt bon signe.

Un ange passa, puis il reprit :

— Dis-moi, il y a un mec qui te plaît en particulier ?

Elle secoua la tête, et sentit voleter ses cheveux soyeux.

— Non, je vais entamer une phase de prospection. Je pensais aller en boîte pour cela. Tu connais de bonnes adresses ?

Elle songea après coup que les points de chute favoris d'un gay ne lui seraient pas forcément utiles.

– On m'a dit du bien du Buffalo Club, répondit Todd. Tu comptes sortir ce soir ?

– Je ne sais pas.

Après cette journée marathon, elle doutait d'en avoir le courage.

– Tu sais, Daisy, il est souvent plus facile de continuer sur sa lancée que de reprendre après une pause.

– Je vais y songer, promit-elle. Mais au fait, comment se comporte une BCBG ? Y a-t-il un mode d'emploi ?

– Aucun, poupée. Ce terme désigne juste un style, une apparence. Il ne faut pas confondre apparence et personnalité. Sois toi-même, et tout ira pour le mieux.

– Ça ne m'a jamais tellement réussi, tu sais, dit-elle avec ironie.

Il éclata de rire.

– Ça va marcher, à présent. Tu peux me croire, chérie.

8

— Tu as retrouvé Mitchell ? demanda Temple Nolan.

— Pas encore, répondit Sykes, agacé par la question.

S'il avait dégotté Mitchell, le maire serait déjà au courant, non ?

— J'imagine qu'il va rester planqué une semaine ou deux, reprit-il, puis il aura la bougeotte et refera surface. J'ai tout prévu. Dès qu'il réapparaîtra, je serai prévenu dans les cinq minutes.

— M. Phillips n'était pas très content. Un gros client était sur les rangs pour la fille. Il s'est rabattu sur un autre fournisseur, et du coup on est à sec. M. Phillips veut la peau de Mitchell.

— Ce sera fait. Je vous demande juste de patienter un peu. Il détalera comme un lapin si je sonne le tocsin.

— M. Phillips n'est pas d'humeur à patienter. Il a perdu trop d'argent.

Sykes haussa les épaules. Les vierges étaient toujours très cotées, mais à ce point... À croire que certains acheteurs avaient d'autres projets qu'une simple partie de dépucelage. Des rites sacrificiels, peut-être ? Il en avait tellement vu au cours de sa carrière. Mais peu importe. Il ne faisait pas dans le service après-vente.

– Je vous dis qu'il sortira de sa tanière d'un jour à l'autre, et je serai là pour le cueillir. C'est comme si c'était fait. Toujours est-il que nous attendons une nouvelle livraison pour mardi soir, cinq filles, et il ne paraît pas prudent de les réceptionner à l'endroit habituel. On ne sait jamais, Mitchell a très bien pu bavasser. C'est aussi pour cela que je ne veux pas l'alerter. Dans un moment de panique, il n'hésitera pas à se mettre à table devant le procureur, histoire de jouer les repentis. Vous n'auriez pas un lieu de rechange à me suggérer ?

Le maire se frotta la nuque, pensif. La difficulté était de trouver un endroit suffisamment isolé pour agir en toute discrétion, mais pas au point qu'un passage de véhicule paraisse suspect. Les paysans étaient une espèce fouineuse – et armée, avec ça. D'ordinaire, les transactions se déroulaient dans une vieille caravane, basée en retrait d'un chemin de terre qui, par temps sec, constituait un excellent système d'alarme : tout véhicule qui s'y engageait soulevait un nuage de poussière visible à plusieurs centaines de mètres.

– Je vais trouver ça, promit Nolan. Au pire, je louerai un camion.

Ils avaient déjà recouru à cette méthode dans un moment de crise, et l'expérience avait été probante. Certes, cela empêchait les filles de prendre un bain – et Dieu sait si elles en avaient besoin –, mais ce n'était pas bien grave. Plus embêtant : les camions de location en stationnement éveillaient vite la curiosité des flics.

Du coup, il fallait rouler non-stop jusqu'à l'heure exacte du rendez-vous, puis procéder à la transaction en toute hâte. Comme quoi, ce n'était pas non plus la panacée.

Le biper du maire sonna. Il coupa la sonnerie et lut le numéro affiché.

– Je dois te laisser, dit-il à Sykes. Mais je te rappellerai pour préciser le lieu du rendez-vous. Et dépêche-toi de trouver Mitchell. Pigé ?

Daisy atteignit la porte battante du Buffalo Club. Après maintes réflexions, elle avait décidé que ce bar et ce soir-là réunissaient les conditions optimales pour étrenner son nouveau personnage et lancer sa chasse à l'homme. Elle se sentait fourbue, mais avait l'esprit en ébullition. Au retour de son périple avec Todd, sa mère et sa tante avaient bondi de stupeur tant elle était méconnaissable. Puisqu'elles avaient les mains plongées dans la confiture, Daisy avait déchargé sa voiture toute seule, monté les nombreux paquets dans sa chambre, et n'avait pu résister à l'envie de tout réessayer. Encore une fois, elle était tombée en extase devant la jeune femme chic et sexy qui lui souriait dans la glace, avec sa petite chaînette à la cheville et ses cheveux impeccables. Quel gâchis de laisser tout ça en jachère ! Sans compter qu'une seule nuit de sommeil pouvait suffire à endommager sa coiffure. En somme, la raison commandait de sortir ce soir.

La voilà donc devant le Buffalo Club, à la lisière du comté de Madison, une grande boîte de country music avec orchestre, piste de danse, et assez peu de bagarres.

90

Craignant de se dégonfler si elle hésitait trop long-temps, elle sortit deux billets de son minuscule sac à main qui contenait, suivant les instructions de Todd, le strict minimum : monnaie, un mouchoir et un rouge à lèvres. Sa carte de crédit, quant à elle, devait être glissée dans le soutien-gorge.

Un cerbère en jean, bottes de motard et tee-shirt noir encaissa ses deux dollars et la laissa plonger dans un bain de lumières multicolores, de musique à plein volume et de conversations à gorge déployée. Le groupe sur scène et le public rivalisaient de décibels, et la salle était bondée. Daisy se fraya un chemin vers un coin relativement abrité d'où elle pourrait analyser la situa-tion. Autour du bar, immense comptoir circulaire, s'agglutinaient les clients sur trois rangées concentri-ques. Caressés par le faisceau mouvant des spots, des couples oscillaient sur la piste, tandis que le chanteur mettait tout son cœur dans l'interprétation d'un slow, juché sur une estrade protégée par un grillage. Daisy en déduisit que le Buffalo Club n'était peut-être pas aussi paisible qu'on le disait.

Une nuée de petits guéridons entourait la piste, mais aucun n'était libre. Des serveuses en pantalon moulant se faufilaient dans la foule compacte, tenant leur pla-teau à bout de bras, tout en s'efforçant d'éviter la sciure et les épluchures d'arachides qui jonchaient le parquet.

Avec ses escarpins, sa jupe beige et son chemisier blanc décolleté, Daisy se sentait plutôt décalée dans cet endroit où le jean régnait en maître, et où les rares minijupes se portaient avec des santiags. Todd n'aurait eu qu'un mot : « Vulgaire. »

– Salut, toi ! entendit-elle alors qu'un robuste bras d'homme lui enserra la taille et la fit virevolter.

Elle se retrouva nez à nez avec un mâle brun et souriant, une bière à la main.

– Salut, répondit-elle.

– Tu es venue accompagnée ? lui hurla-t-il à l'oreille.

Mais il la draguait ! Mon Dieu, un type la draguait. Incroyable.

– Je suis avec des amis.

La prudence vaut bien un menu mensonge...

– Et tes amis seraient d'accord pour que je t'invite à danser ?

Il avait un joli sourire et un regard inoffensif.

– Pas de problème, dit-elle.

Ravi, il posa la bouteille sur une table, lui prit la main et l'entraîna vers la piste.

C'était tellement facile, songea-t-elle tout en se glissant entre les bras du type, à une distance raisonnable.

– Je m'appelle Jeff, hurla-t-il de plus belle sous le vacarme des enceintes.

– Moi, c'est Daisy.

– Tu es déjà venue ici ? Je m'en souviendrais si je t'y avais vue.

Elle secoua la tête. Ah, le plaisir de sentir voleter ses cheveux ...

– C'est la première fois, dit-elle.

– Et pas la dernière, j'espère...

Il se tourna soudain vers un homme qui lui tapait sur l'épaule.

– Tu permets ? demanda ce dernier.

— Dégage, répondit Jeff. C'est pas le bal du lycée, ici. Je l'ai vue avant toi.

L'autre, mince et blond, vêtu du jean et du tee-shirt de rigueur, insista :

— Allez, Jeff, fais pas l'égoïste.

Et l'importun d'arracher habilement Daisy au bras de son rival, pour l'emmener deux mètres plus loin.

Jeff haussa les épaules d'un air déçu, puis battit en retraite en souriant. Bon perdant.

— Vous êtes amis ? demanda-t-elle à son nouveau cavalier.

— Ouais, on bosse ensemble. Au fait, je m'appelle Denny.

— Moi, c'est Daisy.

Le slow prit fin, et le groupe se lança aussitôt dans un swing endiablé, que le public choisit d'exécuter en quadrille américain. Deux lignes de couples se formèrent au pied levé, et Denny attribua sa place à Daisy.

— Mais je ne sais pas danser ce truc ! dit-elle.

— C'est facile. Laisse-toi guider.

Elle parvint bon gré mal gré à suivre le mouvement, bien qu'elle bousculât Denny à quelques reprises. Elle avait conscience de détonner dans le paysage avec ses allures de femme du monde, mais c'était plus cocasse qu'autre chose. Deux hommes l'avaient abordée en moins de dix minutes. Soit davantage qu'en trente-quatre années d'existence.

Le quadrille fini, le groupe enchaîna sur un slow pour permettre aux combattants de souffler un peu. Denny eut à peine le temps d'enlacer Daisy qu'un autre type lui vola la place, remplacé à son tour par un troisième larron d'une cinquantaine d'années, barbu et court sur pattes. Mais bon danseur.

– Je m'appelle Howard, dit-il en la faisant tournoyer d'une main experte.

Après Howard vint Steven, puis un certain Mitchell, qui l'invita d'un sourire timide. Mais Daisy était exténuée.

– Je vais m'asseoir jusqu'au prochain morceau, souffla-t-elle en s'éventant avec la main.

Mitchell lui saisit le coude.

– Je vous apporte un verre. Que désirez-vous ? Bière, vin ?

– Un peu d'eau suffira, répondit-elle tout en s'éloignant de la piste à la recherche d'un siège.

– Allez, prenez donc du vin, insista-t-il.

– Plus tard, peut-être. Mais pour l'instant, seul un grand verre d'eau pourra épancher ma soif.

Sans compter qu'elle allait devoir reprendre le volant...

– Un Coca, alors ?

Voyant à son regard intense qu'il tenait à se montrer galant, elle capitula :

– Va pour un Coca.

– Je reviens tout de suite ! lança-t-il d'un air victorieux.

Bien qu'elle fût résolue à l'attendre sans bouger, les flux et reflux de la foule la déportaient vers le fond de la salle. Au bout de cinq minutes, elle décida de remonter vers le bar pour retrouver son homme, mais elle doutait de reconnaître son visage dans la masse tapie au milieu de la pénombre. Et puis ses escarpins neufs commençaient à la faire souffrir. Alors elle tourna les talons et reprit sa quête d'une chaise.

– On a envie de s'asseoir ? beugla soudain un grand gaillard en l'attrapant par la taille pour l'installer sur ses genoux.

Paniquée, Daisy tenta de se relever, mais le type la maintenait contre lui, hilare. Instinctivement, elle se dressa sur ses mains, et à cet instant le type poussa un cri suraigu qui perça la musique et les voix. Daisy comprit avec effroi qu'elle venait de lui écraser les parties intimes. Elle tenta à nouveau de s'échapper, et il hurla de plus belle. Les gens se retournaient, intrigués. Elle continua de se débattre, sans grand succès. Les couinements de son agresseur, devenu écarlate, redoublèrent.

Puis ce fut l'engrenage. Distrait par les cris, un homme bouscula une femme, qui renversa son verre sur sa robe. Elle glapit, et son cavalier bondit pour la venger. Une chaise se renversa, suivie d'une table et de plusieurs verres. Des clients se sauvèrent, affolés, tandis que d'autres accouraient pour prendre part aux réjouissances.

Une mêlée se forma sous le nez de Daisy, ce qui l'empêcha de se remettre debout. Elle était prise au piège, et ne voyait aucune issue.

Soudain, un bras d'acier l'arracha aux genoux de l'estropié, lequel s'effondra par terre, tordu de douleur, les mains entre les jambes. Daisy se retrouva suspendue en l'air, les pieds dans le vide. Son mystérieux sauveur lui fit traverser le champ de bataille en un clin d'œil, dégageant la voie de son bras libre, tandis que les videurs se chargeaient de ramener l'ordre au plus vite.

L'instant d'après elle atterrissait sur le seuil de la discothèque, juste avant que les portes ne se referment dans un bruit sourd. Quelle humiliation.

Rouge de honte, elle se retourna pour s'excuser, et se retrouva face à Jack Russo. Les mots se coincèrent dans sa gorge.

Des bruits de casse continuaient de retentir à l'intérieur, et la porte recracha un flot de clients décidés à quitter les lieux avant que ça ne dégénère vraiment. Russo ramena Daisy sous le halo jaune de l'enseigne au néon afin de l'écarter du passage. Pour un peu, il ne l'aurait pas reconnue, tout comme sa mère et sa tante à son retour de Huntsville...

– Ma parole, mais c'est miss Daisy ! s'écria-t-il. Vous venez souvent ici ?

– Non, c'est la première fois. Je vais tout vous expliquer.

Il la toisa d'un air mauvais.

– J'ai hâte d'entendre ça. En l'espace de trente secondes, vous avez réussi à castrer un type et à déclencher une bagarre. Pas mal pour un début. Prévenez-moi la prochaine fois que vous viendrez ici. Je me cloîtrerai chez moi.

– Ce n'est pas ma faute ! Cet homme m'a capturée, et en voulant me libérer, j'ai...

Elle ne sut comment rapporter les faits en termes choisis.

– Empoigné et aplati ses couilles. Je sais. J'étais prêt à venir vous délivrer, mais quand je l'ai entendu crier,

96

je me suis dit que vous aviez la situation... bien en main.

— Mais je n'ai pas fait exprès !

— Laissez tomber. La prochaine fois, il réfléchira à deux fois avant d'alpaguer une nana bizarre. Venez, je vous raccompagne à votre voiture.

Mais Daisy n'avait pas l'intention de partir si tôt. Elle se tourna vers la porte.

— Je me disais que je pouvais peut-être...

— Non, le bal est fini pour ce soir, Cendrillon. Vous feriez mieux de déguerpir avant que le shérif ne rapplique.

Elle soupira. Il avait sûrement raison. Les flics embarqueraient tout le monde au poste, et les exploits de Daisy Minor feraient le tour de la ville. Russo lui prit le bras et la conduisit vers le parking.

— Où avez-vous garé votre véhicule ? demanda-t-il.

— Par là-bas, dit-elle dans un nouveau soupir.

Sans la lâcher, il l'escorta jusqu'à la voiture. Un peu plus, et il lui aurait passé les menottes.

Elle tira ses clés de son sac, déverrouilla la Ford et Russo lui ouvrit la portière.

— Vous avez bu quelque chose ? demanda-t-il quand elle fut installé derrière le volant.

— Non. Pas même un soda.

Elle était d'ailleurs assoiffée. Déclencher une bagarre était presque aussi harassant que danser.

Un coude sur le toit du véhicule, l'autre sur le montant de la portière, il se pencha en avant comme pour l'examiner. Ses yeux semblèrent s'arrêter sur le décolleté de son corsage.

97

— Vous cachez bien votre jeu, sous ces infâmes fripes de mémé que vous portez d'habitude.

Mon Dieu, même le chef de la police avait été frappé par son look de taupe...

— J'ai décidé de tourner une nouvelle page, répondit-elle.

Il rit et se redressa afin qu'elle puisse fermer la portière. Elle enclencha le moteur puis, après une seconde d'hésitation, baissa sa vitre.

— Merci de m'avoir sortie de là, dit-elle.

— C'était la meilleure chose à faire. Ce pauvre type aurait fini en pièces détachées si je n'étais pas intervenu.

Il leva l'index et tendit l'oreille.

— Je crois entendre des sirènes. Allez, disparaissez.

— Et vous ? fit-elle.

— Je vais aider mes confrères à tout régler.

Elle songea un instant à lui demander de ne pas ébruiter sa première virée en boîte, puis se ravisa. Elle avait bien le droit de s'amuser. Et puis, au fond, il ne lui déplairait pas qu'on la dise adepte du Buffalo Club. Son image changerait du tout au tout.

— Il faudra que je fasse une déposition ? demanda-t-elle.

— Non, sauf si vous vous éternisez ici ! Allez, magnez-vous le train.

Inutile de se faire prier une troisième fois : elle appuya sur le champignon et quitta le parking dans une volée de gravillons.

9

Sortir pour faire la bringue, danser jusqu'à l'épuisement, déclencher une émeute et être rentrée pour 21 heures n'était pas à la portée de tout le monde, pensait Daisy le lendemain matin. Comme quoi, ce n'était pas un échec sur toute la ligne. D'autant qu'elle avait pu constater les effets de son charme. Autrement dit, il fallait remettre ça.

Après la messe, où nombre de paroissiens la dévisagèrent sans retenue, elle avala un sandwich et enfila un de ses nouveaux jeans : elle avait prévu de faire un saut à Lassiter Avenue, pour surveiller l'avancée des travaux de peinture.

Comme elle descendait du porche, son sac et ses clés de voiture à la main, une Crown Victoria blanche s'arrêta le long du trottoir. Sa bonne humeur accusa le coup lorsqu'elle vit s'en extraire la grande carcasse de Jack Russo moulée dans un tee-shirt noir et un jean serré. Elle n'avait pas relaté le dénouement de la soirée à sa mère, pour ne pas l'affoler, et espérait que Russo n'allait pas tout gâcher. Bon sang, que fichait-il ici ?

– Vous allez quelque part ? demanda-t-il.

– Oui, répondit-elle froidement.

La politesse eût exigé plus de précisions, voire une invitation à prendre un café. Mais face à ce type, elle oubliait ses bonnes manières.

– Vous n'allez pas me proposer d'entrer ? demanda-t-il d'un air plus amusé que vexé.

– Non.

– Alors venez donc faire un tour en voiture avec moi. Vous n'aimeriez pas que vos voisins surprennent notre petite conversation.

Daisy tressaillit.

– Mon Dieu ! Vous êtes venu m'arrêter ? Le type d'hier soir n'est pas mort, au moins ? C'était un accident ! Un cas de légitime défense !

Russo se frotta le menton, comme pour réprimer un rire.

– De ce que j'en sais, votre copain n'a rien, répondit-il. Il marche peut-être un peu bizarrement, mais il est vivant.

Elle poussa un ouf de soulagement.

– Mais pourquoi voulez-vous m'embarquer, alors ?

Il se caressa à nouveau la joue, et cette fois il était évident qu'il se moquait d'elle. Sans un mot, il lui prit le bras d'une main chaude et ferme, celle d'un flic habitué aux prévenus récalcitrants, et l'installa sur le siège passager.

Evelyn surgit à la porte d'entrée.

– Inspecteur Russo ! Pourquoi emmenez-vous ma Daisy ?

— Juste une petite promenade, madame. On sera **de** retour dans une heure. Promis.

Evelyn fronça les sourcils, puis son visage se fendit d'un sourire.

— Amusez-vous bien, alors.

— Oui, madame, répondit Russo avec déférence.

— Super ! maugréa Daisy quand il prit place derrière le volant. Elle va croire qu'on sort ensemble.

— Vous préférez que je lui explique le véritable motif de ma venue ? susurra-t-il.

— Mais pourquoi voulez-vous m'interroger, à la fin ? Je n'ai rien fait de mal. Je ne suis pour rien dans la bagarre, et je n'ai jamais voulu écraser le scrotum de ce type.

— Je sais, dit-il avec son éternel sourire en coin.

— Alors, où est le problème ?

— Nulle part. Il n'y a aucun problème. Et je ne suis pas venu vous interroger. Je vous ai seulement proposé de faire un tour avec moi. Vous vous attendiez peut-être à vous faire cuisiner pendant des heures au commissariat, avec une lampe braquée sur le visage ?

— C'est un comble ! Vous m'avez quasiment *ordonné* de monter avec vous. Vous avez dit : « Venez donc faire un tour avec moi. » En général, quand un flic dit ça à la télé, c'est qu'il est venu arrêter la personne.

— Que voulez-vous, les dialoguistes doivent manquer d'inspiration.

Mais alors, mais alors... Était-il attiré par elle ? songea-t-elle avec effroi. Se pouvait-il que son nouveau look ait tourné la tête du chef de la police ?

Elle baissa son pare-soleil, consulta furtivement le petit miroir, et le rabattit aussitôt. Seigneur...

– C'était quoi, ça ? s'étonna Russo. Vous n'avez même pas eu le temps de vérifier votre rouge à lèvres.

Le pauvre Russo n'y était pas. Ce que le miroir venait de confirmer, c'est que le nouveau visage de Daisy était toujours présent.

– Je me demandais juste si les voitures de police étaient également munies de petites glaces. Ça fait un peu... minette, non ?

– Minette ?

– Mais ne le prenez pas personnellement.

Il soupira.

– Je vous avoue, miss Daisy, que j'ai parfois du mal à vous suivre.

– Dites, si vous arrêtiez de m'appeler miss Daisy ? Je ne supporte pas ça. Peut-être dans trente ans, si je suis encore vieille fille, mais aujourd'hui je trouve ça déplacé, d'accord ?

– Très bien, je surveillerai mes paroles à l'avenir. Mais sachez que c'était plus par respect qu'autre chose.

– Par respect ? Voyez-vous ça.

– Pour tout vous dire, vous me rappelez ma tante Bessie.

Sa tante ? Mon Dieu, c'était si grave que ça ?

Elle baissa à nouveau son pare-soleil. Russo se retint de pouffer.

– Je ressemble à votre tante ? gémit-elle.

– À vrai dire, il s'agit plus précisément de ma grand-tante. Mais je n'ai pas dit que vous lui ressembliez, seulement que vous me faisiez penser à elle.

Daisy se garda bien de lui demander pourquoi.

Elle constata soudain qu'ils étaient sur la route de Fort Payne, bordée de cèdres et de montagnes verdoyantes.

— Pourquoi va-t-on à Fort Payne ? dit-elle.

— On ne va nulle part, répondit Russo. On fait juste une balade.

— Sans but précis ?

— Quand je propose de faire un tour, ça veut dire faire un tour.

Décidément, il se comportait de manière très étrange. Était-ce ainsi que les Yankees courtisaient les demoiselles ?

— Quitte à faire un tour, dit-elle, je préférerais rouler dans la direction opposée. Vers chez moi.

— Vous êtes dure.

— Je ne connais pas vos intentions, c'est tout.

— Je ne suis pas venu vous kidnapper, ma belle. Je voulais seulement m'entretenir avec vous, en privé, au sujet de la nuit dernière.

— Encore une fois, je n'ai rien fait de...

— Vous allez me laisser parler, oui ? Je dois vous mettre en garde contre certaines choses.

— Je suis adulte, vous savez, et je fais ce que je veux de...

— Mais fermez-la, bon sang ! Je ne cherche pas à vous dissuader d'aller en boîte, mais à vous informer de certains risques.

Elle se tut un instant, avant d'ajouter :

— Désolée. Mais avec vous, je suis toujours sur la défensive. C'est peut-être votre fonction qui veut ça.

– Eh bien, faites un effort et écoutez-moi. Avec votre nouvelle coiffure et vos nouvelles fringues, vous allez attirer plein d'hommes.

– Et c'est bien ce qui s'est passé, dit-elle fièrement.

– Vous en connaissiez certains ?

– Bien sûr que non.

– Alors, vous devez vous méfier.

– Vous savez, je n'avais pas l'intention de finir la nuit dans leur lit, ni de me faire raccompagner, vu que j'avais ma voiture, et...

– Vous avez entendu parler de viols avec administration de drogue ? demanda-t-il de but en blanc.

Elle se tourna vers lui, bouche bée.

– Vous voulez dire que ces types...

– Je n'en sais rien, et vous non plus. C'est bien le problème. Quand vous sortez en boîte, ne laissez personne vous apporter un verre, sauf la serveuse. Mieux : commandez directement au bar. N'abandonnez pas votre boisson sur une table pendant que vous dansez, que vous allez aux toilettes, ou je ne sais où. Et si c'est le cas, n'y touchez plus. Commandez autre chose.

– Mais, ça aurait quel goût, si quelqu'un y avait versé une de ces substances dont vous parlez ?

– Vous ne sentiriez pas la différence. Et lorsque les premiers effets se manifestent, vous n'avez déjà plus votre tête. C'est pourquoi il vaut mieux sortir en tandem, avec une amie par exemple, afin de veiller l'une sur l'autre. Dès que l'une montre des signes de somnolence, il faut filer aux urgences. Et surtout, ne montez jamais en voiture avec un type que vous venez de rencontrer.

Daisy chercha qui, parmi ses connaissances, pourrait l'accompagner dans les bars. Aucun nom ne lui vint à l'esprit. Ses amies étaient toutes mères de famille, et n'étaient pas du genre à sortir entre filles pour draguer des mâles dans le dos de leur mari. Evelyn et Joella étaient célibataires, mais non... Inutile d'y penser.

— Il existe plusieurs produits, poursuivit Russo. Vous avez sûrement entendu parler du Rohypnol, mais celui qui nous préoccupe le plus ces temps-ci est le GHB.

— C'est quoi, ça ?

Il grimaça.

— Un mélange de décapant pour sols et de déboucheur de conduits.

— Seigneur ! Ce doit être fatal !

— En grande quantité, oui. Et encore, il en faut parfois très peu pour tuer. Les réactions varient d'une victime à l'autre.

— Mais ça doit brûler la gorge.

Il secoua la tête.

— Même pas. Dans le cas d'une overdose, vous vous endormez pour ne plus vous réveiller. Et lorsque le GHB est dissous dans de l'alcool, l'effet est encore plus radical et imprévisible. Quand un type vous intoxique au GHB, il se fiche pas mal que vous y restiez ou pas, du moment qu'il peut vous violer tant que vous êtes encore tiède.

Daisy fixa le paysage, abasourdie. Ce qu'elle venait d'apprendre la dissuadait assez pour ne plus remettre les pieds en boîte de nuit. En même temps, dans quel autre endroit pourrait-elle rencontrer des célibataires ?

Elle ne pouvait renoncer à ce vivier. Il faudrait simplement s'armer de courage et de prudence.

— Je serai vigilante, promit-elle. Merci de m'avoir prévenue.

La voiture ralentit à l'approche d'une église, puis fit demi-tour sur le parking et reprit la direction de Hillsboro.

— À quand votre prochaine virée ? demanda-t-il d'une voix neutre.

— Pourquoi me demandez-vous ça ?

— Pour que je dise à mes camarades noctambules de porter une coquille, pardi. C'était une simple question, histoire de faire la conversation.

— Eh bien, ce sera vraisemblablement le week-end prochain. Je n'aime pas veiller tard en semaine, et puis j'ai plein de choses à faire pour mon déménagement.

— Votre déménagement ?

— Oui, je vais louer une maison sur Lassiter Avenue.

— Lassiter ? Le quartier est plutôt malfamé, vous savez.

— Oui, je sais. Mais le choix était assez limité. Il me suffira d'adopter un chien.

— Un gros, alors. Optez pour un berger allemand. Ils sont intelligents, fidèles, et vous protégeraient même de Godzilla.

Daisy tenta de s'imaginer en train de bouquiner dans un fauteuil avec un molosse à ses pieds. À vrai dire, elle se sentait plutôt faite pour les modèles réduits, du genre terrier ou épagneul. Elle récapitulait mentalement les différentes races de chiens qu'elle appréciait, quand

106

elle constata qu'ils étaient revenus devant la maison. Un minibus stationnait dans l'allée.

– Vous avez de la visite, observa Russo.

– C'est ma sœur Beth et ses enfants.

Ils passaient au moins deux fois par mois, en général le dimanche, après la messe. La tante Jo apparut sur le porche.

– Venez vite ! dit-elle. Vous arrivez juste à temps pour une bonne glace maison.

Russo sortit de l'habitacle avant que Daisy n'ait pu lui dire qu'il n'était pas obligé de rester. Elle resta assise lorsqu'il lui ouvrit la portière.

– Dépêchons, dit-il. La glace va fondre.

– Mauvais plan, murmura-t-elle.

– Pourquoi ça ?

– Ils vont penser que vous... que nous...

– Flirtons ? Allez, cessez vos enfantillages.

– Je ne plaisante pas, dit Daisy. Vous savez comment vont les rumeurs dans une petite ville. Et puis, je ne veux pas que ma famille imagine...

– Dans ce cas, dites la vérité : je tenais à vous alerter contre les dangers de viol au GHB.

– Pour que ma mère fasse une attaque ? Vous n'y pensez pas.

– Alors, dites que nous sommes amis.

– Comme s'ils allaient avaler ça.

– En quoi est-ce inconcevable ?

– Ça l'est, c'est tout.

Russo ouvrit la porte d'entrée avant d'y pousser sa compagne d'un jour. Le bourdonnement des voix cessa brutalement. Devant les regards ébahis de Beth, de son mari Nathan et de leurs deux fils William et Wyatt, Daisy s'empourpra.

— Euh... je vous présente l'inspecteur Russo, balbutia-t-elle.

— Appelez-moi Jack, coupa l'intéressé.

— Laissez-moi vous offrir une coupe de glace, dit Evelyn. C'est de la vanille, mais je peux la napper de noisette et de chocolat fondu si vous voulez.

— C'est mon parfum préféré ! s'écria Jack.

Beth ne prêtait aucune attention à l'inspecteur de police, médusée qu'elle était par la métamorphose de sa sœur.

— Mais... tu es blonde ! lâcha-t-elle. Maman m'avait dit que tu t'étais fait éclaircir les cheveux. Mais à ce point...

— Tu es très belle, déclara le petit Wyatt du haut de ses dix ans.

Il avait proféré le compliment d'un ton accusateur : il était à l'âge où l'on n'aime pas les filles, et voir sa tante préférée en devenir une ne l'enchantait guère.

— Désolée, répondit-elle. Je ferai mieux la prochaine fois.

— Moi, j'adore, affirma William, l'aîné de onze ans, avec un sourire qui ferait chavirer les cœurs d'ici quelques années.

— Et tu portes un jean ! ajouta Beth, atterrée.

— Oui, j'ai fait un peu de shopping. Et je me suis fait percer les oreilles.

— Tu es sublime, dit enfin Nathan.

— Oui, sublime, acquiesça Beth qui, après un moment d'hésitation, prit sa sœur dans ses bras.

– Alors, vous roucoulez depuis combien de temps ? demanda l'incorrigible Jo.
– Nous ne sommes pas...
Jack prit Daisy de court :
– Environ une semaine.

10

— Attention, nous sommes juste amis — enfin, pas vraiment. Vous savez, c'est un Yankee. On était ensemble au club hier soir — enfin, au même moment, mais séparément — et quand la rixe a commencé...

— La rixe, reprirent les autres à l'unisson.

Evelyn et Joella semblaient pétrifiées, Beth assommée, son mari épouvanté, et les deux neveux fascinés.

— Ce n'est pas moi qui l'ai déclenchée, s'empressa d'ajouter Daisy. Enfin, pas directement. Disons que ce n'était pas ma faute. Mais l'inspecteur...

— Jack, corrigea ce dernier.

Elle continua en serrant les dents :

— Jack m'a sortie de la mêlée, et aujourd'hui il est venu me mettre en garde sur les drogues utilisées par les violeurs, et... Oh, Seigneur !

Les yeux écarquillés, ses neveux buvaient ses paroles.

— Des drogues ? répéta Evelyn d'une voix blanche.

— Rassurez-vous, je n'ai rien vu de tel. Et je serai vigilante.

– Au fait, qu'avez-vous contre les Yankees ? demanda Jack.

– Rien, voyons. C'est juste que, comment dire, vous n'êtes pas tout à fait... vous savez...

Ses explications tournaient au fiasco.

– Je pensais que nous étions amis, déclara-t-il d'un air affecté.

– Vous parlez sérieusement ?

– Bien sûr, dit-il tout en touillant le fond de sa coupe. Nos discussions m'avaient paru amicales, complices. Vous m'avez même fait passer le test du carmin pour savoir si j'en étais.

La famille de Daisy était absorbée par ce numéro de duettistes.

– Et quel fut le verdict ? demanda Joella au sujet du test.

– Aucune idée, madame. Si on connaît la réponse, ça veut dire qu'on a perdu ?

– Non, répondit Joella. Ça veut simplement dire que vous êtes gay.

Elle marqua un temps d'arrêt, puis ajouta :

– C'est le cas ?

– Tante Jo ! glapit Daisy.

– Non, madame, je ne suis pas gay. Mais votre test ne vaut rien, car je connais la couleur carmin.

– Je m'en doutais, dit Joella. Et si je vous dis : puce ?

Voilà donc où miss Daisy trouvait son inspiration, songea Jack avec amusement.

– Daisy m'a fait chercher ce mot dans le dictionnaire. J'ai d'abord cru qu'elle l'avait inventé.

– Tu vois, qu'est-ce que je disais ? fanfaronna Joella.

111

Sans prévenir, Jack saisit le poignet de Daisy et l'entraîna sur le petit canapé deux places qui leur semblait destiné. Il se laissa offrir une deuxième coupe de glace et resta une petite heure à bavarder avec la famille tout en mettant les nerfs de Daisy à rude épreuve – collant sa cuisse contre la sienne, allongeant un bras derrière ses épaules, lui touchant l'avant-bras chaque fois qu'il s'adressait à elle... Elle ne pouvait se dérober comme à la bibliothèque, et il tira le meilleur parti de ce que tante Bessie aurait appelé les « belles manières » de la miss.

Lorsqu'il partit enfin, Daisy était à deux doigts de l'apoplexie. Elle ne considérait pas Jack comme un ami, s'alarmait à l'idée qu'il puisse la draguer, et redoutait par-dessus tout que sa famille les croie amants... Elle n'était pas au bout de ses peines, car Jack Russo ne supportait pas que quelqu'un lui résiste, a fortiori une belle plante comme elle. Il devinait que sous la glace couvaient des braises ; avec un peu de pratique, Daisy Minor ne tarderait pas à révéler la tigresse qui sommeillait en elle. Et il était bien décidé à lui servir d'entraîneur.

Jack n'avait pas eu de liaison sérieuse depuis son divorce. Les rapports amoureux demandent des efforts et de la disponibilité, et il n'était pas prêt à en offrir. Du moins, jusqu'à ce jour. Car Daisy était différente des autres. Elle était à la fois honnête et compliquée, naïve et érudite, cinglante quand on la provoquait, mais foncièrement gentille – une qualité rare. Bref, elle lui plaisait.

Or tout indiquait qu'elle cherchait un homme : sa transformation physique et vestimentaire, ses virées en boîte... Restait seulement à la convaincre que Jack Russo était son type d'homme. Et ce n'était pas gagné. Mais alors pas du tout.

En attendant, il allait devoir veiller sur elle, et ce serait un job à temps plein. Non content de sillonner les clubs de la région à la recherche d'un violeur en série, il faudrait tenir à l'œil les rencontres de sa protégée, qui s'annonçaient nombreuses. Avec ses nouveaux appas, elle allait faire des ravages. Le jeu serait éprouvant, mais il en valait la chandelle.

Sykes ne décolérait pas. Mitchell était apparu au Buffalo Club de Huntsville la nuit dernière, mais le temps que Sykes arrive sur les lieux, au milieu des policiers appelés suite à une bagarre, la blatte avait déjà plié bagage. Ah, si seulement on l'avait prévenu plus tôt...

Mais il savait au moins que Mitchell ne se cachait plus, ce qui était une excellente nouvelle.

Jimmy, le patron du bar, ne fut guère surpris lorsque Sykes sonna chez lui le dimanche après-midi.

— Écoute, je t'ai appelé dès que je l'ai vu, dit-il d'emblée, scrutant la rue comme s'il craignait qu'on ne les voie ensemble. Mais une écervelée a déclenché une bagarre, et tout le monde s'est barré.

— Y'a pas de souci, répondit Sykes, qui n'avait pas l'intention de malmener son informateur. As-tu vu s'il était accompagné ?

– Je ne saurais le dire. Mais il a pris deux consos : une bière pour lui-même et un Coca.

Autrement dit, ce bon vieux Mitchell était déjà sur un nouveau coup. L'émeute avait dû contrarier ses projets, mais s'il s'était entiché d'une fille en particulier, il allait revenir à la charge. Pas ce soir, car le club faisait relâche, mais dès le lendemain, lundi.

– Continue d'ouvrir l'œil, recommanda Sykes. S'il vient dans la semaine, il sera plus facile de le repérer dans une salle clairsemée.

Jimmy souffla, en comprenant que cette dernière phrase tenait lieu d'absolution.

Sykes lui tendit un billet de cent dollars plié en quatre – qui veut voyager loin ménage sa monture. Bien sûr, une fois Mitchell liquidé, Jimmy devrait lui aussi disparaître, car la prudence commandait de ne laisser aucune trace, mais on n'en était pas là. Chaque chose en son temps.

Une Ford noire se rangea dans l'allée de Todd Lawrence. Un homme entre deux âges en sortit, gravit les marches du perron et franchit la porte déjà ouverte.

– Alors ? Ce fut comment, hier soir ? demanda Todd en menant son invité dans la cuisine, où la cafetière régurgitait un jus serré.

– C'est une bonne danseuse, répondit l'homme d'une voix tiède.

Il était de corpulence moyenne, les cheveux poivre et sel. Un physique passe-partout.

– Personne ne l'a abordée ?

– Tu plaisantes ? Tous les hommes lui tournaient autour. On ne voyait qu'elle, avec ses fripes de bourgeoise. C'était comme si Grace Kelly avait fait irruption dans un ranch.

Todd sourit, fier de lui. L'homme ouvrit un placard, prit une tasse et se servit du café.

– Quelqu'un lui a offert un verre ?

– Elle n'a pas eu le temps de boire. Elle a dansé pendant un bon moment, puis une bagarre a éclaté et un gros bras l'a emportée dehors.

Todd fronça les sourcils.

– Tu les a suivis ?

– Bien sûr que je les ai suivis, répliqua le type, agacé. J'étais là pour ça, non ? Ce type l'a raccompagnée à sa voiture et elle est repartie comme elle était venue.

– Et lui, tu l'as déjà vu quelque part ?

L'homme secoua la tête.

– Ils n'ont pas dansé ensemble, mais ils se connaissaient. Ils ont eu une petite discussion dehors. Je n'ai pas capté ce qu'ils disaient, mais elle n'avait pas l'air ravie.

Il posa sa tasse fumante sur la table et s'assit.

– Si tu veux mon avis, ça sent le soufre, ajouta-t-il.

– Je suis d'accord, dit Todd, appuyé au rebord de l'évier. Mais c'est mieux que rien. Daisy est parfaite pour ce rôle. Sa naïveté la rend moins méfiante que la plupart des femmes.

– La plupart des femmes ne le sont pas du tout, Todd. Et puis, on ne pourra pas surveiller ses moindres faits et gestes. Si tu crois qu'elle va te demander la permission chaque fois qu'elle veut sortir...

– Je vais l'appeler tous les jours pour prendre de ses nouvelles. Genre discussion entre copines. Elle me confiera ses projets de sorties, et je l'orienterai vers les lieux qui nous intéressent.

– Et tu t'attends vraiment à découvrir quelque chose ?

– C'est comme une partie de pêche. Tu ne vois pas les poissons, mais tu sais qu'ils sont là. Tu lances ta ligne et tu attends qu'ils mordent à l'hameçon. Elle aurait fréquenté ces endroits de toute manière. Là, au moins, elle aura un ange gardien.

– Mais j'ai une vie privée, tu sais. Et d'autres passions dans la vie que le quadrille américain. Sans compter que je risque de louper un épisode de *New York District*.

– Je te l'enregistrerai.

– Va te faire foutre.

– Quand tu veux, mon grand.

Cette blague ne suffit pas à dérider le visiteur.

– Écoute, reprit ce dernier, si on s'en tenait à la mission pour laquelle on nous a envoyés ici, et qu'on laissait ta petite vendetta privée aux flics du coin ?

– Mais leur enquête n'a pas avancé d'un poil. Et puis, en quoi ça gêne notre mission ?

– Ça la gêne dans la mesure où je ne suis pas au top de ma forme quand je fais le mariole toutes les nuits.

– Rassure-toi, Daisy est trop consciencieuse pour sortir en semaine. D'autant qu'elle est débordée par son déménagement. Tu vois, elle me dit tout.

– L'homme qui croit comprendre une femme est un imbécile, Todd.

– C'est possible, n'empêche que je vais l'appeler tous les jours à son retour de la bibliothèque. Moi non plus, je ne veux pas qu'on lui fasse du mal.

– Mais imagine qu'on nous appelle pendant qu'elle fait la bamboula ? Qui la surveillera, dans ce cas ?

– Il y a peu de chances que cela se produise. Ça fait quoi, un an et demi qu'on travaille sur cette affaire ? Quelle est la probabilité qu'elle se dénoue dans les jours qui viennent, et précisément le soir où Daisy s'éclate ?

– Tout ce que je dis, c'est qu'on tente le diable, et qu'à ce petit jeu, c'est elle qui va morfler.

11

Il restait à Daisy une dernière chose à faire pour changer d'image. Le lundi, pendant la pause déjeuner, elle se rendit à la pharmacie des époux Clud pour acheter des préservatifs.

Des trois pharmacies du centre-ville, celle-ci était la plus indiquée pour cette expédition, car Cyrus et Barbara Clud, natifs de Hillsboro, n'avaient pas leur langue dans leur poche. Barbara, qui tenait la caisse, était aussi commère que Beulah Wilson, et ignorait jusqu'à la signification du mot discrétion. C'était à elle que l'on devait les révélations concernant un conseiller municipal accro au Viagra. Autrement dit, si Daisy Minor venait acheter des contraceptifs, la nouvelle se répandrait dans la ville comme une traînée de poudre. Ce qui était précisément le but de l'opération.

Les boîtes de nuit offraient la plus grande concentration d'hommes célibataires au mètre carré, mais Daisy ne voulait pas négliger le vivier local. Une liaison avec un de ses concitoyens serait même la solution idéale, puisqu'elle souhaitait demeurer près de sa famille. Malheureusement, elle connaissait peu d'hommes libres dans le secteur ; ceux de sa paroisse étaient beaucoup plus jeunes qu'elles, et d'ailleurs elle ne les appréciait pas outre mesure. Dans sa tranche d'âge, Hank Harris était célibataire, mais cela s'expliquait aisément : il sentait mauvais. Très mauvais.

La rumeur publique, pour redoutable qu'elle fût, pouvait se révéler un instrument formidable. Quelques paroles suffisaient à lancer la machine. « Vous connaissez la fille d'Evelyn Minor, Daisy ? Oui, la bibliothécaire. J'ai entendu dire qu'elle s'était rendue chez les Clud pour acheter toute une boîte de préservatifs. Vous rendez-vous compte ? Je me demande bien ce qu'elle a en tête. » En un clin d'œil les hommes intéressés se bousculeraient au portillon. Il faudrait séparer le bon grain de l'ivraie, bien entendu, mais un premier tri s'opérerait naturellement quand ces messieurs comprendraient qu'elle n'avait pas l'intention *d'utiliser* ces préservatifs. C'était un simple vecteur d'information.

Mais elle n'aurait jamais pensé qu'un tel achat fût aussi fastidieux. Elle s'arrêta dans la cinquième allée de la boutique, face à un rayonnage entier de préservatifs. Désemparée, elle se demanda ce que choisirait une fille dans le vent. Que penser, par exemple, du modèle baptisé « Chevauchée Sauvage » ? Était-ce réservée aux hordes de motards ? Et des surfaces striées ou nervurées ? Fallait-il un réservoir ? Lubrifiées ou non ? Elle opta finalement pour une boîte d'assortiment estampillée « Arc-en-ciel » qu'elle alla poser sur le comptoir de Barbara.

– J'espère qu'Evelyn et Joella vont bien, dit cette dernière, façon grossière d'amorcer la pompe à confidences.

Puis elle découvrit la nature de la boîte que sa cliente tenait entre les mains.

– Daisy Minor ! glapit-elle.

– Je paye en espèces, répondit l'intéressée tout en exhibant des billets afin d'accélérer le processus.

Elle avait cru pouvoir garder son sang-froid, mais des bouffées de chaleur lui démontraient le contraire. À voir la mine ahurie de Barbara, on aurait cru qu'elle n'avait jamais vendu de préservatifs de sa vie.

– Ta mère est au courant ? demanda-t-elle à mi-voix.

– Elle le sera sous peu, répondit Daisy, qui voyait déjà la clientèle de la boutique se jeter sur le téléphone dès qu'elle aurait franchi le seuil de la pharmacie.

– Hé ! On n'a pas que ça à faire ! grommela une voix grave par-dessus l'épaule de Daisy.

Elle se figea. Pas la peine de se retourner pour identifier l'individu en question, qu'elle fréquentait plus qu'à son tour, ces derniers temps.

D'une main tremblante, Barbara passa l'article sous le lecteur de code-barres et le prix s'afficha. Elle prit l'argent que lui tendait Daisy, lui rendit la monnaie, et enfourna la boîte dans un sachet au nom de la boutique. Daisy plongea la monnaie dans son sac à main, prit le sachet, et pour la première fois de sa vie se rua vers la sortie sans prendre congé en bonne et due forme.

Pour parachever son supplice, Russo lui emboîta le pas.

— À quoi vous jouez ? fulmina-t-elle. Retournez là-dedans et achetez quelque chose !

— Mais je n'ai besoin de rien, dit-il.

— Alors, pourquoi êtes-vous entré ?

— Je vous ai aperçue et je voulais vous parler. Des capotes, n'est-ce pas ? C'est une grande boîte que vous avez là. Elle en contient combien ?

— Fichez le camp ! ordonna-t-elle tout en continuant de marcher. Elle a cru que je les achetais pour vous !

Ce rustaud s'était même plaint d'être pressé. À présent toute la ville allait leur prêter une liaison.

— Je suis assez grand pour m'approvisionner tout seul, merci.

— Ne faites pas semblant de ne pas comprendre. Elle aura cru que c'était pour nous deux, que nous allions...

Elle ne parvint à conclure sa phrase.

— Il faudrait être de vrais lapins pour descendre toute une boîte à la pause déjeuner, observa-t-il. Il y en a combien, là-dedans ? Soixante, soixante-dix ? À supposer que l'on ait une heure entière devant soi, ça fait une capote toutes les minutes. Franchement, ce genre de record ne m'intéresse pas. Je serais plutôt pour une toutes les heures, voire toutes les deux heures.

Daisy continuait d'avancer au pas de course, dégoulinante de sueur. L'effet de la canicule, certes, mais la contrariété y était pour beaucoup également.

— Vous êtes en nage, observa Russo. Allons nous désaltérer au Coffee Cup avant que vous ne tombiez dans les pommes.

Daisy s'immobilisa et lui aboya au visage :

– Je vous fiche mon billet qu'elle a déjà appelé ma mère et la moitié de ses copines pour leur dire que je m'envoie en l'air avec le chef des flics !

– Dans ce cas, le mieux est de m'accompagner au Coffee Cup, comme ça nous aurons des témoins pour certifier que nous n'étions pas chez moi en train d'étrenner vos nouveaux jouets. « Arc-en-ciel », hein ? Ce doit être intéressant. Faites voir un peu.

Il lui prit le sachet des mains et examina la boîte. Daisy chercha une bouche d'égout ouverte pour s'y engouffrer, sans succès. Elle recula d'un mètre, mais il la retint par le bras, sans lever les yeux du paquet.

– « Assortiment de dix parfums », lut-il à voix haute. Dont chewing-gum, pastèque et fraise. Eh bien, vous m'étonnerez toujours, miss Daisy.

Folle de rage, elle lui arracha la boîte des mains et s'enfuit.

– Attendez ! Daisy !

Elle trotta jusqu'au seuil de la bibliothèque, où elle reprit son souffle, se recomposa un visage serein, puis franchit la porte et se rendit jusqu'au comptoir d'un pas léger, comme si de rien n'était. Ce n'est qu'au moment de soulever le battant articulé qu'elle vit que la petite boîte cartonnée avait perdu son sachet. Assise derrière le guichet, Kendra posa machinalement le regard sur l'emplette de sa patronne, avant d'écarquiller les yeux.

– Daisy ! Mais qu'est-ce que...

Elle s'interrompit ; on n'était pas dans un hall de gare. Elle indiqua la boîte d'un signe de tête.

– Ça ? demanda Daisy en feignant le plus grand détachement. C'est juste une boîte de préservatifs.

Puis elle fila dans son bureau, claqua la porte, et s'effondra dans son fauteuil.

— Il paraît que tu t'es équipée en préservatifs, dit Todd d'une voix amusée ce soir-là au téléphone.

— Oui, c'est ce qu'ont appris ma mère, ma tante, la moitié de la paroisse et tout le voisinage, répondit Daisy en soupirant. Mais bon, je l'ai cherché.

— Et tu aurais vidé la moitié de la boîte avec l'illustre inspecteur Russo, à midi...

— Jamais de la vie ! Je suis aussitôt retournée à la bibliothèque. Ah ! J'étais sûre que cette vieille pim-bêche de Barbara Clud allait raconter ça. Nous n'étions pas ensemble. Il est entré dans la boutique pendant que je passais à la caisse.

— Elle dit aussi qu'il n'a rien acheté, qu'il était pressé, et qu'il est ressorti avec toi.

— Ces sornettes risquent de tout gâcher, gémit-elle en s'asseyant à la table de la cuisine.

Elle avait pris le téléphone sans fil pour ne pas déranger Evelyn et Joella qui regardaient la télévision, comme d'habitude à cette heure-là.

— Comment ça, tout gâcher ? demanda Todd.

— Si tout le monde croit que Russo et moi avons une... une...

— Une liaison, poupée.

— Eh bien, pas un type n'osera m'aborder, de peur d'attirer les foudres de ce balourd. J'aurais acheté ces préservatifs pour rien.

– Je ne suis pas sûr de comprendre. Ils étaient seulement destinés aux types de la ville ?

– Oui et non. En fait, je n'ai jamais eu l'intention de m'en servir. Je les ai achetés pour que Barbara ébruite la nouvelle et me forge une réputation de femme disponible, libérée, moderne et tout ce que tu veux. Telle était l'idée de départ. Mais c'était sans compter sur cet imbécile de Russo. Je n'ai plus qu'à me rabattre sur la faune des boîtes de nuit.

– Tu comptes sortir ce soir ?

– Non, je dois finir d'organiser mon nouveau chez-moi. Maintenant que Buck Latham a fini de repeindre, il faut faire le ménage et acheter des meubles et de l'électroménager.

– Tu cherches quel genre de meubles ?

– Je ne sais pas. C'est une petite maison, alors autant investir dans des choses simples et confortables.

– Tu veux forcément du neuf ? Ou des pièces d'occasion pourraient faire l'affaire ? On trouve de jolies choses pour une bouchée de pain dans les ventes aux enchères.

Daisy était toujours partante quand il s'agissait d'économiser de l'argent.

– Je n'y suis jamais allée. Sais-tu où et quand auront lieu les prochaines ?

– Il y en a partout et tous les jours, ma belle. Je vais en chercher une pour demain après-midi, et ta maison sera décorée en moins de deux.

Daisy prit ses nouveaux quartiers le vendredi, après un marathon qui l'avait empêchée de ruminer l'échec de son opération condom et sa rancœur envers Russo. Elle avait rempli ses placards de provisions, nettoyé la maison de fond en comble et acheté des rideaux, ainsi qu'une batterie de casseroles, une ménagère, un balai et un aspirateur. Todd l'avait également introduite dans les ventes aux enchères, pour lesquelles elle s'était découvert une vraie vocation. Elle adorait affronter d'autres acheteurs à coups de hochements de tête, et chaque victoire la comblait. Todd avait bien fait d'emprunter un pick-up, car ils rapportèrent une table roulante, deux chaises, des lampes à pied roses, un tapis vert cendré, un gros fauteuil inclinable bleu à fines rayures crème, et une petite console pour sa télé.

— Tu ne trouves pas ce fauteuil magnifique ? demanda-t-elle, tout excitée, sur le chemin du retour.

— Si, il est terrible. Et j'ai repéré le canapé qui s'y accorderait à merveille. Du neuf, malheureusement. Mais il est superbe.

Todd arrêta le camion devant la vitrine d'un marchand de meubles et lui montra le divan en question. Malgré son prix élevé, Daisy eut immédiatement le coup de foudre. Le tissu était presque du même bleu que le fauteuil, et orné de roses cent-feuilles. Adopté, décida-t-elle dans un élan du cœur.

Le vendredi soir, la maison de Daisy était remplie de meubles, de boîtes et de gens. Evelyn, Beth et Joella finissaient de répartir les cartons dans les différentes pièces, mais sans les vider, de peur que Daisy ne retrouve plus ses affaires. Todd mit la dernière main à la déco : il accrocha des tableaux, ajusta la position des meubles et offrit ses muscles pour les objets les plus lourds. Les vêtements étaient rangés dans la penderie, les livres dans la bibliothèque, les tentures suspendues et le réfrigérateur plein. On avait mis les voisins à contribution pour porter le mobilier de la chambre, et tout l'électroménager, du lave-linge au four micro-ondes, avait été livré dans l'après-midi.

Pour le dîner, Evelyn prépara un rôti à la cocotte. Elle et sa sœur prirent place autour de la petite table de la cuisine, tandis que Daisy, Beth et Todd s'assirent en tailleur sur le lino. L'ambiance était gaie et bon enfant, celle d'une équipe soudée après un effort collectif.

— Je n'arrive pas à y croire, s'extasia Daisy tout en promenant son regard dans la pièce. Tant de changements en deux semaines à peine...

Todd mordit à pleines dents dans sa tranche de rôti et poussa un soupir de délectation.

— Vous devriez ouvrir un restaurant, madame Minor. Vous feriez un malheur. Au fait, Daisy, as-tu pensé à changer les verrous ?

— Bien sûr. C'est la première chose que j'ai faite. Ou plus exactement, que j'ai confiée à Buck Latham. J'ai deux jeux de clés, maman en a un autre, et j'ai confié le dernier à la propriétaire.

— N'oublie pas le toutou, rappela Joella. Justement, la chienne d'une de mes amies a eu une portée il y a quelques semaines. Je demanderai s'il reste un chiot.

— Un chiot ? releva Todd. Un chien adulte ne serait-il pas plus indiqué ?

— Non, je veux un chiot, trancha Daisy. Je rêve de tenir une petite boule de poils dans mes bras, de l'élever et d'en prendre soin.

La preuve, s'il en était, qu'elle était fin prête pour la maternité...

Après le café, Todd s'arrangea pour partir en dernier.

— Tu vas danser demain soir ? demanda-t-il d'un air innocent.

Daisy songea à tout ce qu'il restait à faire dans la maison. Puis au temps qu'elle y avait déjà passé. Elle méritait bien quelques heures de détente.

— Je pense que oui, dit-elle.

— Alors sois prudente, et amuse-toi bien.

— Compte sur moi. Et merci encore.

Elle le salua, tout en songeant combien elle avait de la chance de l'avoir pour ami.

12

Comme tous les samedis, il y avait foule au Buffalo Club, de sorte que Jimmy ne savait pas depuis combien de temps Mitchell était présent quand il l'aperçut, une bière à la main, penché au-dessus de deux jeunes filles qui l'ignoraient ostensiblement. Il avait dû commander sa consommation auprès d'une serveuse, sans quoi on l'aurait vu au bar.

Détournant la tête de peur d'éveiller ses soupçons, Jimmy décrocha le téléphone rangé sous le comptoir :

— Il est ici.

— Ah, merde ! pesta Sykes à l'autre bout du fil. Il faut que je lui parle, mais je ne pourrai pas me libérer ce soir. Tant pis, ce sera pour une autre fois.

— OK, dit Jimmy avant de raccrocher.

Sykes reposa le combiné et le reprit aussitôt pour appeler deux acolytes :

— Rendez-vous au Buffalo Club dans quarante minutes, dit-il. Venez équipés.

Sur ce, il se vissa une casquette de base-ball sur le crâne, enfila des santiags pour gagner quelques centimètres et glissa un petit coussin dans sa chemise pour se donner de l'embonpoint. À la lumière du jour ce déguisement n'eût trompé personne, mais il pourrait faire illusion dans l'obscurité du club. Le plan consistait à cueillir Mitchell pour l'emmener dans un lieu discret. Sykes avait de nouveau emprunté la voiture d'un ami et remplacé les plaques d'immatriculation par une paire volée en Georgie.

Sauf incident de dernière minute, tel qu'une nouvelle échauffourée, le cas Mitchell allait être réglé une fois pour toutes.

Daisy se rendit compte qu'il fallait du cran pour retourner dans un endroit où l'on avait causé une émeute huit jours plus tôt. Cela dit, qui la savait à l'origine des troubles de la semaine dernière ? Elle-même, Russo, le type aux testicules écrasés, et peut-être un ou deux observateurs, c'est-à-dire cinq personnes au maximum, qui du reste avaient peu de chances de se trouver à nouveau réunis ce soir. Elle n'avait donc rien à craindre. Personne n'allait crier « C'est elle ! » au moment où elle ferait son apparition. En théorie, du moins...

Elle resta assise dans sa voiture, sur le parking sombre, à regarder les clients entrer seuls, en couple ou en groupe. Quelques accords s'échappaient chaque fois que s'ouvraient les portes battantes et, même lorsqu'elles étaient fermées, les vibrations sourdes de la basse et de la grosse caisse traversaient les murs.

Elle n'osait encore quitter sa voiture. Mais ses soliloques successifs la revigoraient. Vêtue d'une robe rouge – la toute première de sa vie – cintrée à la taille, ample autour des cuisses et coupée juste au-dessus du genou, avec des bretelles de deux centimètres de large et un joli décolleté, elle était assez sûre de son effet. Ses cheveux blonds avaient conservé leur éclat et leur volume, et elle était satisfaite de son maquillage. Ses rivales en jean et débardeur n'avaient qu'à bien se tenir.

Si toutefois elle se décidait à traverser le parking.

Tout compte fait, il était peut-être préférable de laisser la salle se remplir, afin de limiter les chances d'être reconnue...

Ses doigts pianotèrent sur le volant. Elle entendait l'appel de la musique, ces notes colorées qui la suppliaient d'accourir sur la piste. Elle adorait sentir son corps bouger en rythme, s'oublier dans une foule remuante, savoir qu'elle maîtrisait les pas et avait de la classe.

– Allez, plus que dix minutes, s'accorda-t-elle, tout en mettant le contact pour consulter la pendule du tableau de bord. J'y vais dans dix minutes.

Pour meubler l'attente, elle vérifia une dernière fois le contenu de son sac. Permis de conduire, rouge à lèvres, mouchoir, et un billet de vingt dollars. Temps gagné : à peu près cinq secondes.

Trois hommes sortirent du club, brièvement éclairés par le halo des enseignes au néon. Celui du milieu avait un visage familier, mais Daisy ne parvenait pas à se

130

rappeler son nom. Elle les regarda traverser le parking, se faufiler entre les rangées d'automobiles. Un autre type quitta sa berline au moment où ils passaient devant lui et les suivit jusqu'à un pick-up garé sous un arbre.

Les phares d'un nouvel arrivant balayèrent le groupe. Trois des types suivirent la voiture des yeux, tandis que le quatrième se retournait comme pour examiner la benne du pick-up.

Un couple sortit de la voiture et entra dans le club. Quelques mesures de country résonnèrent et s'estompèrent rapidement.

Il restait quatre minutes à Daisy. Parfait. Cela laisserait aux quatre types le temps de disparaître.

L'un d'eux semblait ivre mort, soutenu par deux autres, qui le hissèrent ensuite dans la benne du pick-up tout en lui protégeant la tête. Bons camarades, ils souhaitaient sûrement lui éviter de rentrer par ses propres moyens. Il avait pourtant paru vaillant en sortant du club quelques instants plus tôt, mais Daisy avait lu quelque part que le coma éthylique survenait parfois sans crier gare. Elle en avait désormais la preuve vivante.

Les deux hommes qui avaient chargé leur ami dans le camion montèrent dans la cabine et se mirent en route. Le quatrième type retourna à sa voiture.

Daisy consulta une dernière fois la pendule. Ses dix minutes de sursis étaient écoulées. Elle prit une longue inspiration, ôta la clé du démarreur, sortit de la Ford et verrouilla la portière.

La traversée du parking se déroula sans accroc, et personne ne la montra du doigt lorsqu'elle poussa la

131

porte du Buffalo Club. Elle paya ses deux dollars d'entrée et se laissa happer par la musique.

Interdit, Glenn Sykes regarda la jeune femme traverser le parking. D'où sortait-elle, bon sang ? Elle avait dû passer un long moment assise dans sa voiture, les phares éteints. Avait-elle vu quelque chose ? Non, la question était plutôt : qu'avait-elle vu au juste, et qu'en avait-elle déduit ? C'était la nuit, et ils n'avaient pas fait beaucoup de bruit. Si seulement cet abruti de Mitchell n'avait pas tenté d'alerter le couple qui entrait sur le parking... Mais on ne pouvait reprocher au bougre d'avoir voulu sauver sa peau. En apercevant Sykes, il avait tout de suite compris qu'il était cuit. Et il n'avait dû être qu'à moitié surpris quand la lame tranchante de Buddy s'était enfoncée dans sa gorge comme dans du beurre. Il avait à peine gémi. Le plan initial avait consisté à lui administrer suffisamment de GHB pour tuer un cheval, puis à le laisser sur place, afin que les flics concluent à un énième décès par overdose. Ce procédé avait l'avantage de faire sens : Mitchell serait mort comme ses victimes. Hélas, il avait bien fallu le neutraliser quand il s'était mis à s'agiter devant la voiture.

La fille n'avait a priori rien remarqué d'étrange. Mais elle n'en demeurait pas moins un élément impondérable, et Sykes détestait les impondérables. Et puis, pour peu qu'elle soit une habituée des lieux, elle pouvait connaître – et avoir reconnu – Mitchell. Et saurait remettre ses souvenirs en perspective en apprenant sa mort.

La pépée avait dû se garer à l'autre bout du parking. Il s'y rendit à pied, puis s'accroupit et nota sur un carnet les différents modèles de voitures suivis de leur immatriculation. Il envisagea ensuite de rechercher la fille à l'intérieur de la boîte. Elle serait facile à repérer, avec ses cheveux blonds et sa robe rouge. Sauf qu'il avait dit à Jimmy qu'il était coincé, et il ne voulait pas être vu aux abords du bar le soir de la mort de Mitchell.

Il soupira. Il n'avait plus qu'à attendre le retour de la fille pour la suivre jusque chez elle. Autrement dit, n'ayant pas le don d'ubiquité, il ne pourrait pas superviser la suite des opérations : le largage du cadavre. Pourvu que Buddy ne commette pas d'impair.

Le Buffalo Club semblait plus bondé encore que la semaine précédente. Daisy s'immobilisa dans un coin, le temps d'habituer ses tympans au vacarme. Un groupe de filles reprenait à tue-tête les paroles de *Earl Must Die* – l'histoire d'une femme qui tue son bourreau de mari – sous les quolibets d'un mâle aviné. Lequel fut vite expulsé par les videurs, au grand soulagement de Daisy qui espérait bien danser un peu avant que n'éclate la prochaine bagarre.

– Hé, chérie, tu te souviens de moi ? demanda un type en l'attirant par la taille sur la piste de danse.

Elle découvrit un grand échalas blond arborant une moustache de mousquetaire.

– Pas du tout, répondit-elle.

– Mais si, on a dansé ensemble la semaine dernière.

– Vous faites erreur. J'ai dansé avec Jeff, Denny, Howard et Steven. Vous n'étiez pas dans le lot.

– C'est vrai, je l'avoue. Mais puisque je n'ai pas eu ce plaisir samedi dernier, me l'accorderez-vous ce soir ? Je m'appelle Harley, comme la moto.

Pourquoi pas ?

Le méchant Earl était mort, et le groupe enchaînait sur un rock'n'roll endiablé. Harley prit la main de Daisy et la conduisit avec application, puis remit ça sur *Kentucky Rain* d'Elvis Presley.

– Au fait, c'est quoi ton nom ? demanda-t-il.

– Daisy.

– Tu es venue seule ? Je peux t'offrir un verre ?

Dieu du ciel ! Était-ce un de ces hommes qui droguait les demoiselles ?

– Des amis m'accompagnent, dit-elle en désignant le coin des tables. Et je n'ai pas soif pour le moment. Je suis venue pour danser avant tout.

– Comme tu voudras, dit-il en haussant les épaules.

Le morceau à peine terminé, il s'en alla comme il était venu, abandonnant Daisy au milieu de la piste. Jusqu'ici, et sans compter son agresseur émasculé, elle avait rencontré six hommes, dont aucun de lui avait vraiment plu. Était-elle trop exigeante ?

Elle aperçut Howard de l'autre côté de la piste. Il la salua de la main. Peut-être allait-il l'inviter. C'était de loin le meilleur danseur des six.

Puis elle le vit, l'autre, le costaud qui l'avait tenaillée entre ses genoux. Lorsque leurs regards se croisèrent, il prit une mine épouvantée, avant de lui tourner le dos.

Elle aurait voulu l'imiter, mais sa conscience le lui interdit. Légitime défense ou non, elle lui avait fait mal et s'estimait donc en devoir de lui présenter des excuses.

Elle se fraya un chemin dans la masse, en tâchant de ne pas le perdre de vue. Il avançait d'un pas aussi preste qu'elle, en direction des toilettes. On aurait dit qu'il la fuyait. Mais non, il devait juste avoir la vessie pleine. Avant qu'elle n'ait pu le rattraper, il disparut au bout du couloir menant aux sanitaires. Elle bouscula quelques clients et écrasa quelques pieds, s'attirant quelques protestations ou remarques salaces au passage, et se campa devant la porte close.

L'attente parut interminable. Elle avait décliné trois invitations à danser quand sa victime refit surface. Il eut un geste de recul en la voyant.

– Ne vous approchez pas de moi ! cria-t-il.

Daisy n'en revenait pas. Il semblait vraiment terrifié.

– Je ne vous veux aucun mal, promit-elle. Je suis venue m'excuser pour l'autre soir.

– Vous excuser ? balbutia-t-il.

– Oui. Je suis désolée de vous avoir blessé. Je voulais juste me relever, et j'ai posé la main au mauvais endroit. Je vous jure que c'était un accident.

Il resta coi, puis marmonna :

– Excuses acceptées. Maintenant, disparaissez.

Comment ? Ce goujat l'envoyait sur les roses alors qu'elle venait s'excuser ? Elle voulut lui dire ses quatre vérités, mais en fut empêchée par une voix familière :

– Soyez sans crainte, monsieur. Je la tiens à l'œil.

135

Et sur ces mots, l'inspecteur Russo la souleva dans les airs, comme l'autre jour, et ne la relâcha qu'une fois sur la piste.

— Vous êtes une vraie plaie ! dit-elle tout en rajustant sa robe.

— Je vous ennuie ? demanda Russo d'un air ingénu.

Il lui prit la main gauche et passa un bras autour de sa taille.

— Dansons, ordonna-t-il.

— Je ne peux pas faire un mètre sans tomber sur vous, dit-elle en soupirant.

— Il faut bien que quelqu'un veille sur vous.

— Veiller sur moi ? Vous plaisantez ? Hormis l'incident de la semaine dernière, vous m'attirez plus d'ennuis qu'autre chose !

— N'exagérons rien. Ce n'est pas moi qui ai fait des provisions de capotes pour l'année. À propos, vous les avez essayées ?

Les mots lui manquèrent. Ou plutôt, ceux qui lui venaient à l'esprit étaient si inconvenants qu'elle préféra se taire.

— Vous faites une de ces têtes !

Il resserra son étreinte et la fit valser d'un quart de tour, l'obligeant à lui agripper l'épaule. Elle se retrouva collée contre lui, comme elle n'avait jamais été collée à un homme. Le torse de Russo lui frôlait la poitrine, et... Seigneur ! elle sentait une cuisse entre les siennes.

Elle avait l'impression de se ramollir, de fondre comme neige au soleil, les muscles flasques et amorphes. Une sensation indescriptible, effrayante et néanmoins... exquise.

136

– Inspecteur...

– Jack, rectifia-t-il en la pressant davantage.

– Vous vous tenez un peu trop près, Jack.

Il pencha la tête pour lui susurrer à l'oreille :

– Je crois que je me tiens pile comme il faut, Daisy.

Alors il devait aimer les femmes ramollies. Tant mieux, car elle n'avait aucune envie de quitter ces bras d'acier ni la chaleur de ce torse en béton. Et ce parfum de musc... Elle avait envie de plonger le nez entre ses pectoraux.

Choquée par le tour que prenaient ses pensées, elle se raidit. Jack la fixait d'un regard étrange, à la fois intense et grave.

– Quelque chose ne va pas ? demanda-t-elle.

Il secoua la tête.

– Tout baigne.

– Mais vous semblez...

– Taisez-vous et dansez.

Elle obtempéra, relâchant peu à peu tous les muscles de son corps.

Elle s'aperçut avec un temps de retard que le groupe entonnait un swing. Jack fit la moue et entraîna sa cavalière hors de la piste, vers quelques tables disposées en retrait. Il l'installa sur un siège, chercha en vain une serveuse et déclara :

– Restez ici. Je vais commander au bar. Que désirez-vous ?

– Une limonade-citron, s'il vous plaît.

Il s'éloigna en secouant la tête.

Un nouveau galant sortit Daisy de ses songes :

– Vous dansez ?

Son tee-shirt proclamait : « Quand tu veux, chérie ! » ce qui en disait long sur le bonhomme. Mais Daisy n'eut pas le temps de lui répondre.

– Elle est avec moi, dit Jack en posant une bière et une limonade sur la table.

– D'accord, dit le type avant d'aller tenter sa chance plus loin.

Jack prit le fauteuil voisin de celui de Daisy et porta la bière à ses lèvres. Fascinée, elle admira les mouvements de sa gorge et se sentit flancher. La limonade lui restitua quelques forces.

Au bout d'un moment, elle remarqua que le regard de Jack balayait continuellement la salle, s'attardant de temps à autre sur un visage. Elle crut comprendre :

– Vous êtes en service, n'est-ce pas ?

– Ce n'est pas ma juridiction, répondit-il tout en poursuivant ses observations.

– Pourtant, vous ne cessez de surveiller la foule.

Il haussa les épaules.

– Déformation professionnelle.

– Vous ne soufflez donc jamais ?

– Si, chez moi.

– Mais où habitez-vous, d'ailleurs ?

– Pas très loin de chez votre mère. À Elmwood.

C'est-à-dire quatre pâtés de maison plus loin, un lotissement de demeures victoriennes plus ou moins bien entretenues.

– Je ne vous imaginais pas dans ce genre de maison, avoua-t-elle.

– Je l'ai héritée de ma grand-tante Bessie. Je vous ai déjà parlé d'elle, n'est-ce pas ?

Daisy ouvrit de grand yeux.

– Vous voulez dire : Bessie Childress ?

– Exactement, répondit-il en levant son verre à sa mémoire. C'est chez elle que j'ai passé les meilleurs étés de ma vie, quand j'étais môme.

– Mais comment se fait-il qu'on ne se soit jamais rencontré ?

– Je ne venais qu'en été, pendant les vacances scolaires. Et puis, je suis plus âgé que vous. On ne fréquentait pas les mêmes bandes. Vous découvriez les poupées Barbie pendant que je jouais au base-ball. Sans compter que tante Bessie était méthodiste, et non presbytérienne comme vous. Donc, on n'allait pas dans la même église.

Logique, en effet. N'empêche qu'il était, à sa façon, un enfant du pays. Le Yankee pur sucre avait fait long feu.

La piste de danse fut soudain prise de remous. Un type tomba de tout son long sur le parquet, puis une femme cria : « Danny, non ! » d'une voix stridente, réduisant les musiciens au silence. L'homme à terre bondit sur ses pieds et se rua tête baissée sur un autre, qui l'esquiva d'un pas chassé avant de bousculer une dame qui chuta à son tour. Son cavalier prit la mouche et la salle se transforma en champ de bataille.

– Voilà que ça recommence, soupira Jack en agrippant le poignet de Daisy. Venez, on va sortir par-derrière.

Ils se retrouvèrent en un clin d'œil dans la fraîcheur humide de la nuit.

— Vous êtes une vraie fauteuse de troubles, dit-il à Daisy d'une voix traînante. Je vous jure que cet endroit est calme quand vous n'y êtes pas. Où êtes-vous garée ?

Elle le guida jusqu'à sa Ford, tandis qu'un troupeau émergeait de la porte d'entrée. On aurait dit une rediffusion de l'épisode de la semaine précédente. Daisy soupira. Elle n'avait dansé que sur trois morceaux. À ce train-là, ce serait un miracle si elle tenait une chanson entière la prochaine fois.

Jack lui prit les clés des mains et ouvrit la portière, puis la regarda boucler sa ceinture.

— Je vais vous suivre jusqu'à votre domicile, dit-il comme elle s'apprêtait à refermer la portière.

— Pourquoi ? demanda-t-elle, surprise.

Il leva les yeux au ciel.

— Parce que.

— Parce que quoi ?

— Parce que vous avez emménagé dans un quartier pourri. Ça vous va, comme réponse ?

— C'est gentil, mais ce ne sera pas utile. J'ai laissé le porche éclairé.

— C'est ça, moquez-vous de moi.

13

Sykes écumait de rage en voyant les clients quitter le club comme une colonie de fourmis. Ces péquenots n'étaient-ils pas capables de danser sans se mettre sur la tronche ?

Contraint et forcé, il s'extirpa de son véhicule et s'insinua dans le troupeau, dressé sur la pointe des pieds, pour localiser la blonde à la robe rouge. Le ballet des voitures en partance produisait une lumière semblable à celle d'un gyrophare.

Il la trouva qui marchait tranquillement sur le gravier, l'air aussi détendu qu'à la sortie d'un mariage. Il se rapprocha et lui emboîta le pas, avant de stopper net en s'apercevant qu'elle n'était plus seule, mais flanquée d'un mastodonte, que Sykes entendit prononcer : « Je vous suis jusqu'à chez vous. » Il parvint malgré tout à repérer la voiture de la demoiselle. Parfait. De retour à sa berline, il reprit ses notes et entoura la mention « Ford 93 beige » suivie d'un numéro de plaque commençant par 39, l'indicatif du comté de Jackson.

La suite serait un jeu d'enfant. Il communiquerait l'immatriculation à Temple Nolan, qui la ferait identifier par ses policiers. En quelques minutes, il connaîtrait le nom et l'adresse de la fille.

Cela dit, la discrétion demeurait de mise. Nolan ne pouvait demander la vérification d'un numéro au milieu de la nuit sans que cela paraisse suspect, du moins inhabituel. Il serait plus judicieux d'attendre lundi matin.

Les conditions étaient optimales : cette fille courait les boîtes de nuit, et Sykes avait un stock de GHB prêt à l'emploi. Puisqu'il n'avait pas l'intention de la violer, son overdose passerait pour un énième drame de la toxicomanie.

Daisy bouillonnait à chaque coup d'œil dans le rétroviseur. Jack était dans sa roue, à moins d'un mètre de son pare-chocs, à croire qu'il n'avait jamais entendu parler des distances de sécurité. Bon sang, comment pouvait-on être à ce point envahissant ?

Elle ralentit, en quête d'un refuge sur le bas-côté, et mit son clignotant. Les deux véhicules se rangèrent simultanément, et elle cherchait encore ses warnings quand Jack lui ouvrit la portière.

– Que se passe-t-il ? demanda-t-il, en alerte.

– Il se passe que... Seigneur !

Il tenait un flingue, plaqué contre sa cuisse. Automatique, sûrement du neuf millimètres, avec de petites bandes fluorescentes sur le canon.

– C'est quoi comme marque ? demanda-t-elle. Un Heckler & Koch, un Sig ?

– Un Sig, répondit-il avec stupeur. Mais où avez-vous appris tout ça ?

– J'avais aidé votre prédécesseur à prospecter le marché lorsqu'il avait voulu moderniser l'équipement de ses hommes. On a passé des mois entiers à comparer des centaines de modèles. Tout ça pour que le conseil municipal refuse les crédits...

– Je sais, grommela Russo. J'ai moi-même dû batailler ferme pour obtenir quelques pétards dignes de ce nom.

– Il est vrai qu'à l'époque la priorité était à l'assainissement du réseau d'égouts.

– Mais je m'en tamponne, du réseau d'égouts ! Dites-moi plutôt pourquoi nous sommes arrêtés.

– Nous sommes arrêtés, monsieur Russo, parce que vous me collez au train.

– Pardon ?

– Vous me suivez de trop près, et c'est dangereux.

Il y eut un moment de silence, puis il recula d'un pas.

– Sortez de cette voiture, ordonna-t-il.

– Pas question. Vous étiez en tort et vous le savez parfaitem...

Elle conclut sa phrase d'un glapissement, lorsque Jack plongea la tête dans l'habitacle, déboucla sa ceinture et la sortit manu militari. Il referma la portière d'un coup de genou et plaqua Daisy contre le véhicule, prise en sandwich entre le corps brûlant du flic et le métal glacé de la carrosserie. Elle se sentit aussitôt défaillir.

– J'ai deux possibilités, dit-il d'un air détaché. Soit

je vous étrangle, soit je vous embrasse. Qu'en pensez-vous ?

— Je ne peux pas décider à votre place, répondit-elle, en frissonnant à l'idée de ce qui allait suivre.

— Vous n'auriez pas dû mettre cette robe rouge, dit-il.

— Et qu'est-ce que vous lui trouvez, à ma...

Nouvelle interruption, causée cette fois-ci par la bouche de Jack sur la sienne. Daisy se figea, déboussolée, peinant à raccrocher au réel ce qui, l'instant d'avant, relevait encore de l'impossible. Mais elle ne rêvait pas : il l'embrassait, pour de vrai, et elle n'avait rien connu d'aussi délicieux.

Les lèvres de Jack avaient un petit goût de bière, mais aussi quelque chose de fin et sucré. Comme du miel. Oui, il avait un goût de miel. Une main plongée dans son brushing, il lui pressa la nuque et lui offrit sa langue.

Dans un état semi-végétatif, maintenue à la verticale par le seul poids de son assaillant, Daisy trouva la force de lui étreindre le cou pour fondre leurs deux corps en un seul. Il l'écrasa de plus belle comme s'il voulait l'encastrer dans la tôle. Le cœur de Daisy palpitait à faire trembler tout l'édifice. Une voiture passa, qui les félicita d'un coup de klaxon.

— Connard, maugréa Jack avant de réitérer ses baisers affamés.

Au bout de deux minutes, il leva la tête pour reprendre son souffle. Elle s'accrocha à lui de peur qu'il s'échappe. Elle en voulait encore. Il colla son front contre le sien.

– J'ai très, très envie de vous emmener sous la couette, miss Daisy.

Un quart d'heure plus tôt, elle aurait jugé ces propos tout à fait déplacés. Mais un quart d'heure plus tôt, elle ne se savait pas accro au miel.

– Ce n'est pas bien, répondit-elle sans grande conviction.

– Ne me dites pas que vous n'avez pas aimé, grogna-t-il.

– Tout ceci est ridicule.

– Mais tellement bon !

– Pour tout vous dire, vous n'êtes pas mon genre.

– Alors vous faites bien semblant, ma belle.

Sur ce, il lui décocha un nouveau baiser, qu'elle scella en se dressant sur la pointe des pieds. Il plaqua une main contre son sein, qu'il caressa doucement à travers le fin tissu de la robe. Elle émit un grognement, qui la surprit elle-même et la ramena vers un semblant de raison : à son tour elle posa ses mains sur le torse de Jack dans l'intention de le repousser, mais ce contact coupa net sa force musculaire. Ses pectoraux étaient fermes et chauds, et lui aussi palpitait sous sa paume. Elle en resta interdite. Daisy Minor avait réussi l'exploit d'exciter un homme ! Et Jack Russo, s'il vous plaît !

Il décolla ses lèvres et recula lentement. La nuit parut soudain glaciale.

– Vous gâchez tous mes projets, accusa-t-elle.

– De quels projets parlez-vous ?

– Je cherche un homme.

– J'en suis un, au cas où vous n'auriez pas remarqué.

145

Il lui mordilla le cou, et elle se sentit tel Superman paralysé par un bloc de kryptonite.

– Mais je cherche un homme en vue d'une relation sérieuse.

– Je suis célibataire, vous savez.

– Mais je veux me marier et avoir des enfants !

Il se raidit, comme frappé par une balle.

– Carrément ?

– Oui, carrément. Je cherche un mari, et vous êtes sans cesse sur mon chemin. Depuis votre petit sketch à la pharmacie, tout Hillsboro croit que nous sortons ensemble. Alors je me rabats sur les discothèques, mais vous continuez à me suivre !

– Dites, vous étiez bien contente de me trouver la dernière fois.

– La dernière fois, peut-être. Mais ce soir tout allait bien, je ne courais aucun risque, et malgré ça vous avez fait fuir celui qui aurait pu devenir l'homme de ma vie.

– Celui avec le tee-shirt « Quand tu veux, chérie » ? Vous plaisantez ?

– D'accord, c'est un mauvais exemple. Mais vous avez très bien compris. À ce rythme, tout l'Alabama nous croira amants, et je devrai pousser jusqu'à Atlanta pour me faire passer la bague au doigt.

Un ange passa.

– Allez, dit Jack, beau joueur. Remontez dans votre voiture avant que je ne vous dévore.

Après un instant d'hésitation – la menace était séduisante –, Daisy obtempéra. Elle s'installa derrière le volant, rajusta sa robe, boucla sa ceinture, puis se souvint pourquoi elle avait fait halte :

– Cessez de me coller au train, d'accord ?

Il se pencha, plissa légèrement les paupières et répondit d'une voix suave :

– Promis. Du moins, pas sur la route.

Le cœur de Daisy s'emballa de nouveau. Elle lutta pour ne pas imaginer ce qu'il sous-entendait, mais en vain. Ses tétons se dressèrent, tout émus.

– Allez, filez ! dit-il en claquant la portière.

Le petit cortège s'ébranla, et Jack respecta une distance raisonnable jusqu'à Hillsboro.

14

Le lendemain matin, Daisy se rendit à la messe, comme tous les dimanches. Elle avait conscience d'être au cœur de tous les cancans depuis quelques jours, mais savait aussi que la meilleure politique en pareille circonstance consiste à ne rien changer à ses habitudes.

En prévision des regards inquisiteurs, elle avait soigné sa coiffure et son maquillage, un art qu'elle maîtrisait désormais à la perfection. La chaîne Météo annonçant un temps chaud et humide, avec des températures record, elle avait enfilé une robe sans combinaison et enduit de talc l'intérieur de ses escarpins.

Il faisait déjà trente degrés quand elle avait quitté la maison sur le coup de 9 h 45. La climatisation de la voiture était réglée à fond, mais les trois petits kilomètres de trajet ne lui permirent pas d'en tirer grand profit. Dieu merci, l'église était fraîche.

Elle retrouva sa place attitrée à côté de sa mère et de Joella, qui la trouvèrent splendide.

– Comment s'est passé ta soirée, ma fille ?

— Je n'ai dansé que sur trois morceaux, dit-elle avec dépit. Il y a encore eu du grabuge, et cette fois, je n'y étais pour rien. Je crois que je vais chercher un autre club.

— Ce serait plus prudent, approuva Evelyn.

À vrai dire, Daisy reprochait surtout au Buffalo Club d'être le repaire de Jack, cet empêcheur de draguer en rond.

Quelqu'un prit place à côté d'elle. Elle se tourna pour saluer le nouveau venu d'un sourire, qui se figea aussitôt.

— Qu'est-ce que vous fabriquez ici ? marmonna-t-elle.

Jack regarda tout à tour l'autel, l'orgue, les vitraux.

— Il semble que j'assiste à une messe.

Il se pencha pour saluer Evelyn et Joella, qui l'invi-tèrent à déjeuner après l'office. Mais il prétexta un autre engagement, faute de quoi Daisy n'eût pas hésité à lui réduire les orteils en charpie.

Elle imaginait tous les regards braqués dans son dos.

— Que faites-vous ici ? demanda-t-elle à nouveau.

Il colla sa bouche contre son oreille pour que per-sonne n'entende :

— Vous ne voudriez pas que les gens croient que notre capote-partie était juste l'affaire d'une nuit, n'est-ce pas ?

Elle écarquilla les yeux. Il avait raison, le bougre. En s'exhibant à ses côtés, en sacrifiant sa matinée dans une église qui n'était pas la sienne, il lui permettait de sauver la face. Rendait leur supposée liaison tolérable, à défaut d'être conforme au dogme.

149

Les deux heures qui suivirent furent éprouvantes. Être assise à côté d'un homme qui rêve de vous entraîner sous la couette ne favorise guère la concentration. Daisy tâchait d'écouter le sermon, ne serait-ce que pour s'assurer qu'il ne lui était pas destiné, mais son esprit ne cessait de divaguer. Vers son voisin, en l'occurrence.

Elle était encore sous le choc de leur étreinte de la veille. Bien que leurs jeux se fussent limités à quelques baisers enflammés et autres caresses légères, elle en gardait une impression vertigineuse. Et savait, inutile de le nier, qu'ils avaient été à deux doigts de faire l'amour.

Que serait-il advenu si elle avait oublié ses principes, ses résolutions ? Après tout, se serinait-elle, Jack n'était pas son type d'homme ? En vérité, elle connaissait parfaitement la réponse. La vraie question était plutôt : qu'éprouve-t-on dans ces moments-là ?

Il avait un goût divin et embrassait à merveille. À supposer même qu'il fût le pire amant au monde – ce dont elle doutait fort –, sa maladresse serait largement compensée par la qualité de ses baisers. Mais elle avait lu quelque part que les meilleurs embrasseurs faisaient les meilleurs amants, alors...

Quelles vilaines pensées à l'heure du sermon...

Chaque fois qu'elle remuait – même un tantinet –, la jambe de Jack effleurait la sienne, et il n'en fallait pas davantage pour lui donner des vapeurs et l'envie furieuse de se déshabiller. Soit cette fébrilité indiquait une ménopause précoce, soit Daisy brûlait littéralement du feu de la passion.

Elle ne pouvait s'empêcher d'examiner Jack du coin de l'œil. Il était vêtu avec élégance et classicisme. Ses chaussures étaient toujours bien cirées, or Daisy avait lu que l'état des chaussures reflétait l'attitude d'une personne, vis-à-vis des autres comme d'elle-même. Ses cheveux grisonnants était excessivement courts, mais ça lui allait bien et, malgré sa carrure, sa démarche assurée possédait une sorte de grâce animale. En outre, il n'avait pas un gramme de graisse en trop, comme elle avait pu le constater la nuit dernière.

Et dire qu'il n'était pas son genre...

Il bougea la main, et ses phalanges vinrent subrepticement frotter la cuisse droite de Daisy. Elle déglutit, tout en fixant intensément le révérend Bridges, sans comprendre un mot de ce qu'il disait.

La seule présence de Jack suffisait à l'attiser. Elle s'en voulait de perdre la tête pour quelques malheureux baisers. Mais cela faisait un bail qu'un homme ne l'avait embrassée. Jack, en revanche, en avait sûrement vu d'autres, et pourtant elle avait senti son cœur palpiter, l'avait vu s'enflammer. Et puis, il y a des signes qui ne trompent pas. Le relief d'une érection, par exemple.

Pourvu que le bon Dieu ne soit pas en train de lire ses pensées...

Enfin, le sermon toucha à son terme. On chanta un dernier cantique, puis les paroissiens s'éparpillèrent dans l'église pour serrer des mains et bavarder entre amis ou voisins. Jack se campa au bout de la travée, empêchant Daisy de sortir, et toute la communauté vint le saluer. Evelyn et Joella empruntèrent l'autre issue, et Daisy s'apprêtait à les imiter quand, sans même se retourner, Jack la retint par le bras.

– Je n'en ai pas pour longtemps, dit-il entre deux mondanités.

Les hommes aimaient discuter avec le chef de la police, car ils se sentaient ainsi plus virils. Les femmes, quant à elles – et quel que soit leur âge – savouraient le plaisir d'aborder un aussi séduisant spécimen du sexe opposé.

Quand la foule se fut éclaircie et qu'ils purent s'engager dans l'allée centrale, Jack laissa Daisy passer devant. Elle eut un frisson lorsqu'il lui posa la main sur la taille. Il était décidé à jouer à fond la carte du couple pour rassurer les braves gens de la paroisse, mais elle savait qu'il en voulait d'abord à son corps. Le reste ne devait pas l'intéresser. Il avait déjà été marié, peut-être même était-il père.

Il n'y avait qu'un moyen de le savoir :

– Vous avez des enfants ? chuchota-t-elle par-dessus son épaule.

– Dieu merci, non ! s'exclama-t-il, avant de se rappeler où ils étaient. Venez, sortons d'ici.

Mais c'était plus facile à dire qu'à faire. Le révérend Bridges était toujours posté sous le porche, saluant les fidèles un à un. Comme les autres hommes, il semblait avoir des milliers de choses à dire à Jack. Daisy patienta, tout en songeant qu'on ne s'enquérait jamais de son travail à elle. Mais elle ne s'en portait pas plus mal.

Le révérend se tourna enfin vers elle et la salua avec un regard plus appuyé que de coutume. Daisy se promit de demander à sa mère un résumé du sermon, pour s'assurer qu'elle n'en était pas le sujet principal.

Puis ils retrouvèrent la canicule, qui semblait s'évaporer de l'asphalte brûlant. Les hommes tombaient la veste et dénouaient leur cravate. Jack remisa la sienne dans sa poche intérieure.

— Je vous suis, annonça-t-il.

— Où ça ? demanda-t-elle.

— Chez vous, pardi.

Son cœur fit un nouveau bond.

— Mais je déjeune tous les dimanches avec maman et tante Jo.

— Il suffit de décommander. Vous venez d'emménager, vous avez plein de choses à faire...

Elle le voyait venir, avec ses gros sabots. Elle se racla la gorge.

— Ça ne me paraît pas très judicieux.

— Au contraire ! C'est l'idée la plus judicieuse qui me soit venue depuis des années !

Elle scruta les alentours. Assommés par la chaleur, les paroissiens avaient vite déserté le parking.

— Vous savez comment ça va finir, dit-elle tout bas.

— Et c'est bien ce qui m'intéresse, répondit-il.

— Mais je ne cherche pas une liaison ! J'aspire à une vraie relation, durable, solide.

— Contentez-vous de moi en attendant, dit-il en se rapprochant dangereusement. Je suis sain de corps et d'esprit. Je ne donne pas dans les trucs trop cochons, et j'essaierai de ne pas vous mettre enceinte.

— Vous essaierez seulement ?

Il haussa les épaules.

— Il arrive que les préservatifs craquent.

Cette pensée aurait dû épouvanter Daisy. Mais non. Même la perspective d'une grossesse accidentelle lui paraissait mineure. C'est dire s'il l'avait envoûtée...

— Au fait, qu'entendez-vous par « trop cochons » ? demanda-t-elle à mi-voix.

Les yeux de Jack se mirent à pétiller.

— Je vous montrerai.

En entendant ces mots, l'ancienne Daisy aurait pris ses jambes à son cou. Mais celle d'aujourd'hui n'avait qu'une seule envie : céder aux avances de ce petit effronté.

— Allez, prenez-moi à l'essai, supplia Jack.

— Mais si vous me faites un enfant, vous m'épouserez, d'accord ?

— Marché conclu.

Ils regagnèrent leurs voitures respectives et se suivirent jusqu'à Lassiter Avenue, dans le plus grand respect des distances de sécurité.

En tournant la clé dans la serrure de l'entrée, Daisy constata que ses mains ne tremblaient même pas. Son émoi demeurait intérieur. Jack pénétra dans le petit salon douillet, et promena son regard sur les bibelots tandis que Daisy appelait sa mère pour se décommander. Malgré sa métamorphose, elle ne savait toujours pas mentir, et quand Evelyn lui demanda les raisons de cet empêchement, elle répondit tout de go :

— Jack est ici.

L'intéressé la félicita d'un sourire.

— Ah ! répondit sa mère avant de lâcher un petit

154

gloussement. Je comprends tout à fait. Amusez-vous bien, alors.

Daisy pria pour que sa mère n'ait pas vraiment saisi, mais sans grand espoir.

– Elle nous demande de bien nous amuser, rapporta-t-elle à Jack.

– C'est bien mon intention. Dis-moi, tu as faim ? De nourriture, j'entends.

Elle secoua la tête.

– Parfait, dit-il en avançant sur elle.

Elle croyait se souvenir de son goût délicieux, jusqu'à ce qu'il l'embrasse à nouveau. L'indescriptible sensation de fusion s'empara d'elle à nouveau, qui lui coupait les jambes et obligeait Jack à la soutenir. Elle se sentit brûler de la tête au pied, consumée de désir. Le relief des muscles de Jack et la chaleur de son corps enveloppaient Daisy dans un cocon de plaisir et de détente.

Il resserra son étreinte, ajustant sa carcasse anguleuse aux jolies courbes de la demoiselle, logeant la tumescence de son pantalon au creux de son bassin. Elle soupira de plus belle, et il approfondit leur baiser jusqu'à la déposséder de son souffle.

C'était donc ça, le désir. La chaleur, le besoin, l'envie, la tension du manque et la léthargie du transport. Le désir. Il était bien là.

Elle renversa la tête en gémissant, et il lui dévora la gorge, jusqu'à la base du cou, où il mordilla un tendon et lui suça la peau. Elle se tordait dans ses bras, le corps parcouru de mille décharges électriques.

155

Il posa ses mains fébriles sur sa poitrine puis baissa la glissière de sa robe, dénuda ses épaules rondes et dégrafa son soutien-gorge, qui atterrit sur la moquette du salon. La robe s'affaissa à la taille, retenue par la jonction de leurs deux ventres. Daisy découvrit enfin la caresse de ses doigts sur sa peau nue, qui frottèrent ses tétons jusqu'à les rendre durs et douloureux, puis Jack la bascula sur son avant-bras pour amener ses mamelons à sa bouche. Il devenait bestial, et c'était parfait. Elle lui agrippa le crâne pour le maintenir contre sa poitrine, glapissant de plaisir.

Impatiente de découvrir sa peau à lui, elle s'attaqua à sa chemise, qu'elle tenta de passer autour de sa tête sans la déboutonner. Il l'aida de sa main libre et leurs efforts conjoints eurent raison du vêtement, non sans lui avoir arraché quelques boutons. Puis Daisy retrouva l'étreinte de ses deux bras, les seins pressés contre ses pectoraux puissants. Elle se cambra de plus belle ; son corps entier criait famine, jusqu'entre ses jambes.

– Je pensais qu'elles mentaient, dit-elle dans un râle.

– Qui donc ?

– Les femmes. À propos de ça.

– De quoi ?

– Cette sensation.

Il grogna comme un ours et frissonna. Son érection redoubla de vigueur.

– Je m'en occupe, annonça-t-il.

Glissant ses avant-bras sous sa robe, il aventura ses mains dans sa culotte, enveloppa ses fesses, puis ses phalanges se faufilèrent doucement vers l'entrée du volcan. Daisy haletait, à la fois pétrifiée et bouillonnante. D'un geste expert il introduisit deux doigts en elle, et elle gémit aussitôt. Dieu que c'était bon. Elle en voulait plus. Tout de suite.

Elle se mit à onduler du bassin, instinctivement.

– Viens... souffla-t-elle.

Il lui ôta sa culotte, sortit un préservatif de son pantalon, puis se déchaussa à la force des mollets et quitta ses derniers vêtements. Daisy arrimée à lui, il recula pour s'asseoir sur le canapé. Là, il enfila le préservatif en un éclair, puis agrippa la taille de Daisy et l'installa à la cime de son sexe.

Le temps suspendit son vol. Les halètements de Daisy redoublèrent, accompagnés des grognement rauques de Jack. Les mâchoires serrées, les veines du cou gonflées, il la laissa fixer le tempo. Elle commença d'osciller d'avant en arrière, quand soudain il glissa en elle. Un centimètre, tout au plus, mais à voir la grimace de Jack, c'était déjà énorme. Il planta ses doigts dans la chair de ses fesses, puis se détendit en prévision de la suite.

Prête pour le grand saut, Daisy se releva, ajusta sa position, prit un longue inspiration, et accueillit le sexe tout entier. Le visage de Jack se tordit de plaisir. Elle se laissa lentement descendre, les yeux fermés, savourant chaque étape de sa progression, jusqu'au bout ultime.

Magique.

Son corps ne lui appartenait plus. Elle se régalait de ses grognements à lui, de la tension sur son visage, de ses efforts pour se contrôler, et dégustait le feu qui montait en elle, chaque seconde plus menaçant. Se penchant pour embrasser Jack, elle accéléra ses va-et-vient et sentit approcher le stade critique. Quelques secondes défilèrent, puis ses sens s'embrouillèrent, le monde alentour s'effaça, et ce fut une gigantesque explosion, un feu d'artifice qui la fit crier, sa cambrer, se cogner les hanches contre celles de son partenaire. L'instant d'après elle était sur le dos, et c'était lui qui menait la danse, lui offrant un second orgasme juste avant de succomber lui-même.

Ils restèrent enlacés, immobiles sur le canapé bleu aux roses cent-feuilles, leurs flancs rafraîchis par le souffle du climatiseur, tandis que ventres et torses restaient collés par la transpiration. Elle plongea le nez dans son cou pour humer son parfum musqué et viril. Il lui posa un baiser sur la tempe.

— Alors comme ça, tu vas à la messe avec un préservatif dans la poche ? dit-elle d'une voix repue.

— Ouais, sourit-il.

— Tu n'en a pris qu'un seul ?

Le front moite et la paupière lourde, il la dévisagea.

— Il nous reste les capotes « Arc-en-ciel », n'est-ce pas ?

15

L'après-midi eut un parfum de conte de fées – pour adultes. À peine remis de leurs ébats, Jack se rua dans la cuisine pour avaler un morceau. Daisy lui offrit un esquimau et le refoula aussitôt vers la chambre. Il se restaura au bord du lit tandis qu'elle rabattait les draps, et dès qu'il eut fini la glace, elle le poussa sur le matelas et lui sauta dessus, se frottant comme une féline à son corps d'Adonis. Il réagit au quart de tour, et elle décida d'étudier le phénomène de près.

– À mon tour, dit-il.

Il se retourna et la plaqua dos au matelas. Elle se délecta de son poids, de sa chaleur, de ses hanches logées entre ses cuisses. Puis il se dressa sur ses coudes et rampa vers le pied du lit jusqu'à pouvoir lui rendre la pareille. *Cosmopolitan* n'avait pas menti : ce genre de caresse était une chose divine. Et, pratiqué par Jack, un raccourci vers le septième ciel.

Elle revenait doucement à la réalité lorsqu'il demanda, trépignant comme un gosse :

– Où est l'Arc-en-ciel ?

– Je vais la chercher, dit-elle d'une voix assoupie.

Elle se leva lentement, marcha jusqu'au placard, et sortit le paquet de la boîte abritant sa collection de coquillages. Elle regagna le lit, défit l'emballage de cellophane et tendit à son amant le premier préservatif du paquet.

Jack se renfrogna.

– Pas question d'enfiler une capote mauve, dit-il en lui rendant l'objet.

– Mais c'est au raisin.

– Peu importe. Je refuse de porter ça.

Alors, elle en piocha une autre. Myrtille. Elle l'examina, fit la moue et la reposa.

– Tu n'aimes pas le bleu ? demanda Jack.

– Tu aurais l'air... congelé.

– Crois-moi, j'en suis loin, répondit-il.

La suivante était à la cerise. Elle n'en voulut pas davantage.

– Qu'est-ce qui ne va pas, ce coup-ci ? s'impatienta Jack.

– Rien, si tu aimes la couleur du sang.

– Seigneur... soupira-t-il en roulant sur le dos. Prends n'importe quoi. Chewing-gum, par exemple.

– D'accord. Ce doit être celui-ci, le rose.

Elle déchira l'étui et renifla. L'odeur n'évoquait en rien le chewing-gum, mais plutôt la fraise.

– Je me suis fait avoir, dit-elle. Il manque le parfum chewing-gum !

– Eh bien, tu porteras plainte demain matin. Je t'en prie, dépêche-toi, Daisy. Prends donc la pastèque.

– Mais c'est tout vert. Comme la gangrène.

Excédé, il se déporta au bord du lit et ramassa le mauve.

– Si tu racontes à qui que ce soit que j'ai porté ce truc... menaça-t-il tout en déchirant l'emballage.

– Motus et bouche cousue, jura-t-elle.

Sitôt costumé, il se jeta sur Daisy et ils oublièrent vite les goûts et les couleurs.

Quelques minutes plus tard, Daisy somnolait sur l'épaule de Jack quand le téléphone retentit.

– Tu devrais répondre, dit-il après plusieurs sonneries. C'est peut-être ta mère, et ce serait dommage qu'elle débarque ici pour s'assurer que tout va bien.

Elle soupira et tendit le bras pour décrocher le combiné.

– Daisy Minor à l'appareil.

– Salut, ma belle. La chasse fut fructueuse ?

C'était Todd. Le moment était mal choisi.

– Il y a eu une nouvelle bagarre et je suis rentrée de bonne heure. J'essaierai bien une autre adresse la prochaine fois.

– OK, je vais tâcher de trouver ça. Si je comprends bien, tu n'as pas fait de rencontres ?

– Eh non. Après trois morceaux, j'étais déjà dehors.

Elle écarta sa bouche du combiné et lança à une assemblée imaginaire : « Ce ne sera pas long. Commencez sans moi ! »

– Je suis désolée, dit Todd aussitôt. J'ignorais que tu recevais du monde. Je rappellerai.

– Mais tu ne me déranges pas, mentit-elle.

– Allez, retrouve tes invités et amusez-vous bien. Ciao.

– Ciao, répéta-t-elle avant de raccrocher.

– Alors, petit coquine, on fait semblant d'avoir de la visite ? s'amusa Jack.

– Mais j'en ai, répondit-elle. Toi.

– Et tu ne voulais pas que je commence tout seul...

– Pour rien au monde.

– Alors comme ça, tu as un confident à qui tu dis tout ? Je le connais ?

– C'est Todd Lawrence. Il m'a aidée à me relooker.

– Todd ?

Daisy crut déceler un soupçon de jalousie dans le regard de Jack.

– T'inquiète pas, dit-elle. Il est gay.

– Sûrement pas.

– Mais si, voyons.

– S'il s'agit bien du même Todd Lawrence, habitant une grande maison victorienne et antiquaire de son état, alors je peux t'affirmer qu'il n'est pas gay.

– C'est bien lui. Mais je te jure qu'il l'est.

– Jamais de la vie.

– Mais qu'en sais-tu, à la fin ?

– Je le sais, c'est tout. Et je me fiche de savoir s'il connaît la couleur puce.

– C'est un pro du shopping, avança-t-elle.

– Et alors, moi aussi, si tu cherches une bagnole ou un flingue.

– Mais lui, il s'y connaît en fringues. Et possède un goût exceptionnel.

— Soit. N'empêche qu'il est aussi hétéro que toi et moi. Je l'ai vu avec une femme.

Daisy fut gagnée par le doute.

— Ils faisaient peut-être du shopping. Moi-même, j'ai passé une journée entière avec lui.

— Il lui léchait les amygdales, Daisy, insista-t-il.

Elle en resta bouche bée.

— Mais... Mais pourquoi se ferait-il passer pour...

— C'est à lui qu'il faut le demander, chérie.

Elle secoua la tête, incrédule.

— Il est même fan de Barbara Streisand ! Ce n'est pas anodin, tout de même.

— Il y a des types hétéros qui écoutent ça.

— Ah oui ? Et toi, qu'est-ce que tu écoutes ?

— Creedence Clearwater. Chicago. Three Dog Night. Les classiques, quoi. Je suis plutôt nostalgique comme garçon. Mais je parie que tu aimes les trucs encore plus vieillots. Gershwin, Ella Fitzgerald...

— Tu triches ! Tu as regardé mes étagères pendant que j'appelais maman.

— Tu veux rire. J'avais autre chose en tête.

— Mais j'ai bien vu que tu examinais mon séjour. Tiens, de quelle couleur est mon canapé ?

— Bleu, avec de grosses fleurs. Mais je te rappelle qu'on a fait l'amour dessus.

— Comme si j'allais l'oublier...

— Cela dit, tu as raison sur un point : en tant que flic, j'ai l'esprit observateur. Et je t'ai entendu dire à Todd que tu allais changer de boîte de nuit. Je peux savoir où tu comptes aller ?

– Je n'ai encore rien décidé.

– Eh bien, quand tu auras fait ton choix, j'apprécierais que tu me tiennes au courant. Je parle sérieusement, Daisy. Si tu sors seule, je tiens à savoir où tu es.

Cette requête la laissa perplexe. Si c'était pour qu'il effraie tous ses prétendants potentiels, non merci. D'un autre côté, il en allait de sa sécurité. Et en définitive, elle n'avait guère le choix : il était en position de force, étendu sur elle, les bras déployés comme un filet.

– Promets-le-moi, dit-il.

– Promis.

– Je ne veux pas qu'on te fasse du mal, murmura-t-il avant de l'embrasser.

Comme toujours, un baiser en amena un autre, et ce fut l'escalade, dans tous les sens du terme. Elle releva les genoux, il s'introduisit en elle et commença à s'agiter, puis se retira brusquement.

Il étendit le bras et prit le premier préservatif qui venait.

– Je me moque de la couleur, prévint-il avant de l'enfiler et de revenir à leurs moutons.

Elle aussi s'en moquait, autrement préoccupée par le fait qu'ils aient commencé à faire l'amour sans protection. Que fallait-il en conclure ? Elle remit cette question à plus tard, préférant s'abandonner au plaisir montant.

En fin d'après-midi, Daisy était à nouveau assoupie dans les bras de Jack, qui pour sa part contemplait le plafond d'un air dubitatif. Il avait un mauvais pressentiment au sujet de Todd Lawrence. L'échange télépho-

nique de tout à l'heure s'était déroulé à quelques centimètres de son oreille ; aucun mot de Todd ne lui avait
échappé, et il avait la forte impression que ce type voulait aiguiller Daisy sur des clubs bien précis. Et il
n'aimait pas ça du tout.

Depuis le coup de fil de son confrère Peterson, Jack
avait passé l'intégralité de ses soirées en boîte, excepté
le dimanche, et avait repéré un cas probable de tentative
d'empoisonnement, un jeudi soir au Buffalo Club : une
jeune fille s'était soudain trouvée comateuse, alors que
ses deux copines étaient parfaitement sobres. Elles
n'avaient accepté aucune invitation d'un étranger, mais
reconnaissaient avoir laissé leurs verres sans surveillance pour aller danser. Sans révéler sa qualité de flic,
Jack les avait questionnées et convaincues de se rendre
au plus vite à l'hôpital. Depuis, il était sur le pied de
guerre.

Hier soir, il avait eu un choc en voyant Daisy surgir
sur la piste. Elle ne semblait pas consciente d'attirer tous
les regards masculins avec ses formes aguichantes, son
joli minois et ses tenues chics. Lui-même s'était surpris
à saliver devant son décolleté.

Elle avait hâte de fonder un foyer. Lui n'était pas
candidat au mariage, encore moins à la paternité. N'empêche qu'il était rongé de jalousie à l'idée qu'elle puisse
rencontrer l'homme de sa vie dans un bar. Pire : en se
rendant compte qu'il avait oublié le préservatif, il avait
un instant envisagé de poursuivre comme si de rien
n'était, alors même qu'il s'était engagé à l'épouser si
elle tombait enceinte de ses bons offices. Elle ferait à

coup sûr une meilleure épouse que cette vieille mégère de Heather, l'ex-Mme Russo.

Pourquoi le nier ? Il se savait mordu. Il la regarda dormir tout en lui caressant le dos. Omettre sciemment la capote ? Non, ce serait malhonnête. À moins qu'un rival sérieux ne se déclare...

16

Le jeune setter anglais gambadait joyeusement dans les herbes hautes, indifférent aux ordres de son maître. C'était sa deuxième sortie dans les champs. Hors du jardin où la chienne faisait son apprentissage et possédait ses repères, il arrivait que sa fougue l'emporte sur sa docilité. L'air et la terre abondaient d'odeurs inédites – oiseaux, mulots, insectes, serpents – qu'elle avait toutes envie de pister.

Mais en ce matin humide, l'une d'elle supplantait toutes les autres, qui l'attira dans la forêt bordant le champ.

– Au pied, Lulu ! Au pied ! gronda son maître.

Lulu n'en fit rien. La truffe à ras du sol et la queue frétillante, elle s'enfonça dans un sous-bois.

– Lulu ! Où es-tu, fifille ?

Le maître repéra le frémissement d'un bosquet. Fulminant, il se fraya un chemin au milieu des ronces et des fougères.

Lulu devint de plus en plus excitée. Elle s'arrêta et aboya pour signaler son trouble, puis reprit sa quête.

167

Le maître accéléra le pas, inquiet car sa chienne aboyait rarement.

— Qu'as-tu trouvé, fifille ? Au pied, Lulu ! Au pied !

Lulu planta ses crocs dans quelque chose et tira de toutes ses forces, mais sans succès. Elle se mit à creuser, soulevant des gerbes de terre avec ses pattes avant.

— Lulu ! cria le maître en l'attrapant par le collier.

Il baissa les yeux et recula dans un sursaut.

— Nom de Dieu !

Il scruta nerveusement les environs, de peur que le coupable soit encore dans les parages. Mais il régnait un parfait silence, hormis le bruissement du vent dans les feuillages et les pépiements d'oiseaux un peu plus loin. Ils n'entendirent aucun coup de feu, ne virent aucun forcené bondir d'un fourré couteau au poing.

— Viens, fifille, viens, dit-il en la flattant d'une main, le temps de rattacher sa laisse. Tu es une bonne chienne. Allons chercher un téléphone.

La nuque raidie par l'angoisse, Temple Nolan contemplait la page de son bloc-notes, sur laquelle figurait un numéro d'immatriculation. Une femme avait assisté au meurtre de Mitchell. Sykes affirmait qu'elle n'avait rien remarqué d'étrange, vu l'insouciance avec laquelle elle avait traversé le parking, mais Nolan ne voulait prendre aucun risque. Il suffisait d'un couac comme celui-ci pour que toute l'entreprise s'effondre. Sykes aurait dû gérer Mitchell lui-même, au lieu de sous-traiter à ses deux malabars. Ils auraient dû attendre qu'il soit seul pour lui tomber dessus. Mais le mal était fait, et il n'y avait plus qu'à circonscrire l'incendie, en priant pour que cela suffise.

Il décrocha sa ligne officielle et composa le numéro de poste du chef de la police. Eva Fay répondit à la première sonnerie.

— Bonjour Eva, ici Temple. Russo est là ?

Il s'annonçait toujours par son prénom, ce qui rendait en général les gens plus coopératifs, et entretenait sa réputation d'élu proche de ses administrés. Il habitait une villa cossue, fréquentait le country-club de Huntsville ainsi que son minable ersatz de Hillsboro, et évoluait dans un cercle très fermé, mais tant qu'il jouait les braves bourgmestres, on le réélisait.

— Pour sûr, répondit Fay. Je vous le passe

La voix de Jack claqua au bout de la ligne :

— Russo.

— Salut, Jack, c'est Temple. Écoutez, en venant ce matin j'ai remarqué une voiture garée dans le couloir des pompiers, juste en face du cabinet du Dr Bennett. J'ai relevé la plaque, mais cette personne est peut-être souffrante et je ne voulais pas l'importuner en la faisant verbaliser. En revanche, si vous me trouviez son nom, je pourrais l'appeler pour lui demander gentiment de ne pas recommencer.

— Pas de problème, répondit Jack. Je prends un stylo.

Il ne semblait même pas surpris par cette requête. Les mœurs de la petite ville lui devenaient familières.

— Je vous écoute.

Temple lui dicta le numéro.

– J'en ai pour moins d'une minute. Je vous fais patienter ?

– Parfait, dit le maire.

Jack écarquilla les yeux devant le verdict de l'ordinateur. Il resta un moment sur sa chaise, les sourcils froncés, songeur. Puis il imprima la réponse et regagna son bureau.

Le véhicule était une Ford vieille de huit ans enregistrée au nom de Dacinda Ann Minor et à l'adresse que Daisy venait de quitter.

Il ignorait ce qui se tramait, mais il savait en tout cas que cet enfoiré de Temple mentait. Daisy n'oserait pas davantage stationner sur le couloir des pompiers que de courir nue dans un stade. Cette fille était un modèle de civisme : elle respectait toujours les limites de vitesse, ne traversait jamais hors des clous et ne proférait pas le moindre juron. En outre, elle ne s'était pas rendue chez le Dr Bennett ce matin. Jack le savait, puisqu'il avait passé la nuit chez elle et l'avait quittée radieuse, en pleine forme. Il était repassé chez lui en coup de vent pour se changer, puis avait aperçu la Ford à son emplacement habituel en passant devant la bibliothèque.

Qui pouvait bien être sur ses traces ? Et pourquoi ?

D'abord Todd Lawrence, et maintenant Temple Nolan. Que d'attentions pour une petite bibliothécaire sans histoires...

Le maire attendait sa réponse. Il fallait réfléchir vite. Jack pouvait prétendre qu'il s'agissait d'une plaque volée et demander une description du véhicule. Ou bien dire la vérité puis tâcher d'élucider le mystère.

Il reprit le combiné et suivit son instinct :

— Désolé pour l'attente, mais la bécane est très lente aujourd'hui.

— Y'a pas de mal, Jack. Alors, qui est notre coupable ?

— Un nom qui ne m'évoque rien. Une certaine Dacinda Ann Minor.

— Quoi ? s'étrangla le maire.

— Dacinda Minor. Hé ! ce ne serait pas la bibliothécaire, par hasard ? Je crois bien qu'elle s'appelle Minor. Mais j'ignore son prénom.

— Daisy, répondit le maire d'une voix blanche. Tout le monde l'appelle Daisy. Seigneur ! C'est donc elle qui...

— Si même les bibliothécaires se garent n'importe où...

— Euh... oui, en effet.

— Vous voulez que je l'appelle pour lui passer un savon ? En tant qu'employée municipale, elle est tenue de...

— Je m'en charge, coupa le maire.

— Entendu, répondit Jack, persuadé qu'il n'en ferait rien. Si je puis vous aider pour quoi que ce soit, n'hésitez pas.

— D'accord. Merci.

Dès qu'il eut raccroché, Jack empoigna l'annuaire administratif, chercha le numéro de la bibliothèque et le composa aussitôt.

– Bibliothèque municipale de Hillsboro, annonça Daisy d'une voix plate.

– Salut, chérie, comment ça va ?

– Très bien, s'égaya-t-elle. Et toi ?

– Un peu naze, mais je tiendrai le coup. Tu connais la nouvelle ? Quelqu'un aurait aperçu ta voiture stationnée devant le cabinet du Dr Bennett.

– Ça m'étonnerait. Je n'ai aucune confiance en ce type.

– Il paraît aussi que tu t'appelles Dacinda. Tu confirmes ?

– Eh bien, les gens ont la langue bien pendue, ce matin. En effet, je m'appelle Dacinda, ce que tu aurais pu vérifier en consultant le fichier du personnel municipal. C'était le prénom de ma grand-mère paternelle. Mais ma mère m'appelait Dacey quand j'étais bébé, lequel s'est vite transformé en Daisy.

– Je vois. À part ça, tu comptes déjeuner chez toi ?

– Non. Je viens d'avoir Joella au téléphone. Elle m'a trouvé un chien. On va le chercher à midi.

Tant pis, songea Jack à regret. Il l'aurait bien invitée au restaurant. Du coup, il profiterait de sa pause pour lancer sa petite enquête, voire filer discrètement monsieur le maire.

– Écoute, reprit-il, j'aurai quelques trucs à vérifier ce soir, mais j'essaierai de passer. Tu te couches à quelle heure ?

– À 22 heures. Mais tu...

– Je t'appelle si je suis retenu.

– D'accord, mais tu n'es pas obligé de...

– Si, chérie. Je le suis.

Pourquoi prenait-il ce ton grave ? se demanda Daisy en raccrochant. Il était tout à fait libre de ses mouvements, et elle s'était gardée exprès de lui demander quand ils se reverraient – quoiqu'elle fût convaincue que leur après-midi torride ne resterait pas sans suite.

Elle découvrait déjà un avantage à habiter Lassiter Avenue : étant nouvelle dans le quartier, personne ne se souciait de savoir qui dormait chez elle, n'espionnait ses allées et venues ou ne surveillait l'entrée de son garage. Pour la première fois de sa vie, elle se sentait affranchie du regard d'autrui, libre de ses mouvements. Libre aussi de s'oublier dans les bras de Jack, de jouir à tue-tête, d'arpenter son studio en tenue d'Ève...

L'un dans l'autre, elle était satisfaite de la tournure des événements, à ceci près qu'elle devait déjà racheter des préservatifs, normaux cette fois-ci, sans couleur ni parfum particuliers. Il serait tentant de retourner chez Barbara Clud. Que ne jaserait-on pas en apprenant que le chef de la police Jack Russo avait descendu une boîte de soixante-douze unités en l'espace d'une semaine !

À l'heure du repas, elle passa prendre Evelyn et Joella pour aller chercher le chien chez une certaine Miley Park.

Celle-ci vivait à quelques kilomètres de Hillsboro, dans une grande propriété clôturée. Elle apparut à la grille flanquée d'une golden retriever en pleine santé.

– Assise, Sadie ! ordonna-t-elle.

La chienne obéit, malgré son envie manifeste de fêter ses visiteuses.

– Faites vite, dit Miley en ouvrant le portail, que je puisse refermer avant qu'ils n'arrivent.

– Ils ? demanda Evelyn en pénétrant dans la cour.

Au même instant une nuée de chiots surgit du coin de la maison.

– Ces petits monstres sont rapides comme l'éclair, dit Mme Park tout en caressant le crâne de Sadie. Ils accourent dès qu'ils entendent grincer la grille.

Sadie se releva à la vue de ses petits, les reniflant l'un après l'autre comme pour les compter. Les chiots semblaient hésiter entre assaillir leur mère pour quelques gouttes de lait ou faire connaissance avec les trois inconnues. Leurs petits corps vibraient sous l'impulsion de leurs queues frénétiques.

Ils n'étaient que cinq, mais vifs comme douze. Daisy s'accroupit et ils lui sautèrent dessus, essayant de lui lécher le visage, de lui mordre les cheveux ou de lui croquer les chaussures.

Il y en avait trois roux, et deux beige clair, presque blancs. Cinq adorables petite boules de poils avec des pattes démesurées.

– Ils auront sept semaines jeudi, déclara Miley. Leur mère a commencé à les sevrer il y a quinze jours, et ils ne mangent que des croquettes depuis une semaine. On leur a fait leurs premiers vaccins. Croyez-moi, l'expédition chez le vétérinaire fut assez folklorique !

– Ils sont choux comme tout, dit Daisy, conquise. Je les prends.

Il fallut que les trois autres éclatent de rire pour qu'elle comprenne son lapsus.

– Je me contenterai d'un seul pour commencer, rectifia-t-elle avec humour.

— Très bien. Mais avant de me séparer des bébés de Sadie, je dois être certaine qu'ils arrivent dans un bon foyer. Le golden retriever est un chien plein d'entrain qui a besoin d'exercice. Et en l'absence d'un espace sûr où il puisse gambader...

— Le jardin est grillagé, précisa aussitôt Daisy.

— C'est un grand terrain ?

— J'avoue qu'il n'est pas immense.

— Voilà qui est dommage. Il lui faudra de plus en plus d'espace à mesure qu'il grandira. Il ne pourra se contenter de jouer dans un petit jardin. Aurez-vous le temps de lui offrir de longues promenades, de jouer à la balle, de l'emmener nager ?

— Oui, promit Daisy, prête à tous les sacrifices pour emporter un chiot.

— Ils aiment la compagnie des hommes. Que dis-je ? Ils en raffolent ! Y aura-t-il quelqu'un pour s'occuper de lui pendant la journée, ou sera-t-il livré à lui-même jusqu'à votre retour ?

Prise de court, Daisy se tourna vers sa mère.

— On le prendra dans la journée, dit Evelyn.

— Êtes-vous d'un naturel patient ? continua Mme Park. Ces petits diablotins font bêtise sur bêtise. Si vous laissez traîner le moindre objet, soyez sûre qu'il finira dans sa bouche. Cela dit, ils aiment apprendre et satisfaire leur maître, et je n'en ai jamais connu qui soient difficiles à élever.

— Je suis très patiente, affirma Daisy.

C'était la vérité : après tout, elle avait bien attendu elle trente-quatre ans pour vivre !

Elle prit un chiot dans ses bras et rit devant la petite langue rose qui tentait désespérément de lui lécher le visage.

Mme Park annonça le prix : 400 dollars chacun.

— Parfait, dit Daisy, qui n'aurait pas hésité à mille dollars de plus.

Elle s'accroupit à nouveau pour reposer le chiot, et Sadie vint s'allonger entre ses mollets, suivie par sa ribambelle de petits.

— Alors, lequel prenez-vous ?

C'était de loin la question la plus ardue. Ils étaient tous plus mignons les uns que les autres.

— Il y a trois mâles et deux femelles... commença Miley.

— Non, ne me dites rien. Je veux choisir celui qui me plaît le plus.

Elle resta assise au milieu des chiens, incapable de se décider, quand l'un des deux beige bâilla, battit ses longs cils et vint s'installer sur sa cuisse pour un somme.

— Voilà, dit Daisy, c'est lui qui m'a choisie.

— C'est un mâle. Prenez-en grand soin. J'appellerai de temps en temps pour prendre de ses nouvelles, et n'hésitez pas à l'amener voir sa mère. Je vais chercher les papiers d'adoption.

— Comment vas-tu l'appeler ? demanda Evelyn sur le chemin du retour.

Joella avait pris le volant pour que sa nièce puisse garder le chiot endormi sur ses genoux.

— Je vais y réfléchir. À en juger par la taille de ses pattes, il sera très grand. Il lui faudrait un nom viril et imposant.

Joella renâcla.

– Il a déjà l'air viril et imposant. Pourquoi pas Boulette ou Peluche ?

– Mais il ne gardera pas cet aspect bien longtemps, tu sais.

Daisy prit soudain conscience de la responsabilité qu'elle venait d'accepter.

– Mon Dieu ! Je n'ai rien pour le recevoir. Arrêtons-nous au supermarché pour acheter des croquettes, une écuelle, un panier et des jouets. J'oublie quelque chose ?

– Je ne crois pas, répondit Evelyn, sauf qu'il faudra tout cela en double exemplaire. Pour chez toi et pour chez nous.

Daisy soupira.

– Je crois que je serai en retard au travail.

Mais, pour la première fois de sa vie, elle s'en moquait. Elle avait un amant et un chien. Que rêver de mieux ?

17

La mystérieuse conductrice n'était autre que Daisy Minor... Passé le choc de la nouvelle, Temple Nolan se mit à douter. Sykes était persuadé d'avoir affaire à une blonde, or Daisy était brune. Et il doutait qu'elle ait jamais mis les pieds en boîte de nuit ; elle était l'archétype de la vieille fille qui ne quittera jamais le toit de sa mère, que les gamins du voisinage adorent parce qu'elle leur offre les meilleurs bonbons à Halloween, et qui va à la messe trois fois par semaine.

Puis il se souvint avoir surpris des bribes de conversation entre deux employés municipaux au sujet du « nouveau départ » de leur collègue Daisy. Bon, admettons qu'elle se soit un peu décoincée. Mais à ce point ! Cela méritait quelques vérifications.

Il aurait pu demander à Nadine, sa secrétaire particulière, quelles étaient les dernières rumeurs concernant Daisy, mais c'eût été risqué. Si la bibliothécaire était bien la fille décrite par Sykes, Nadine allait tiquer en apprenant sa mort ou sa disparition quelques jours à peine après avoir cancané à son sujet avec le maire.

Ayant annoncé à son assistante qu'il sortait faire un tour, il marcha jusqu'à la bibliothèque. Sans entrer, il colla son nez au carreau de la porte et aperçut Daisy derrière son comptoir, penchée sur une pile de paperasse. Blonde. Elle s'était fait teindre les cheveux.

Il regagna son bureau la mort dans l'âme.

– Vous allez bien, monsieur ? s'inquiéta Nadine. Vous êtes tout pâle.

– J'ai quelques remontées acides, dit-il. Je pensais qu'un bol d'air frais me ferait du bien.

– Vous devriez peut-être rentrer.

Cette femme avait vraiment raté sa vocation d'infirmière...

– Ce n'est rien, dit-il en se souvenant qu'il devait déjeuner avec le maire de Scottsboro. Ce doit être le jus d'orange.

– Tenez, prenez ça et vous vous sentirez beaucoup mieux.

Elle lui tendit deux tablettes de Maalox, qu'il avala docilement, puis il s'enferma dans son bureau et appela Sykes sur sa ligne privée. Il n'y avait plus de place pour les scrupules.

Jack emprunta le pick-up d'un collègue, troqua sa cravate contre des lunettes de soleil et une casquette John Deere verte, et suivit le maire jusqu'à Scottsboro. Rien d'anormal jusque-là. Le maire déjeunait avec son homologue, point final. Mais Jack n'était pas tranquille pour autant. Il ne le serait qu'une fois Daisy totalement hors de danger. En attendant, tous ses sens demeureraient en alerte maximum.

Bien entendu, Daisy n'avait pas conscience d'être au cœur d'un étrange tourbillon. Sa candeur et sa confiance en l'espèce humaine l'en empêchaient. Heureusement, elle avait acheté un chien, ce qui la protégerait un tant soit peu les nuits où elle dormirait seule.

Son repas terminé, Nolan rentra à Hillsboro. Jack croisa Eva Fay en coup de vent puis repartit en direction de Huntsville, où il poussa la porte de Lawrence, la boutique d'antiquités appartenant à Todd. Avec sa casquette John Deere vissée sur le crâne, il devait avoir l'air d'un éléphant dans un magasin de porcelaine – du moins, à en juger par la mine effarée du vendeur. Ce dernier était un homme entre deux âges, de taille moyenne, avec un air familier. Jack oubliait rarement un visage, et il était persuadé d'avoir déjà vu celui-ci. Au Buffalo Club ! Oui, c'était ça. Il avait même dansé avec Daisy le premier soir. Tiens, tiens, comme le monde était petit...

– M. Lawrence est là ?

– Je regrette, mais il est occupé, répondit le vendeur d'une voix mielleuse. Que puis-je faire pour vous ?

– Rien, rétorqua Jack en plaquant sa carte de flic sur le comptoir. Je veux voir M. Lawrence. Tout de suite. Et vous avec.

Le vendeur examina la carte puis la reposa avec nonchalance.

– Chef de la police de Hillsboro, articula-t-il. Très impressionnant, vraiment.

— Moins qu'une jambe brisée, mais ça fait aussi son effet...

Un rictus fendit les lèvres du vendeur.

— Et féroce, avec ça.

Jack le vit discrètement basculer le poids de son corps d'une jambe sur l'autre, comme s'il préparait une attaque.

— Arrêtez votre cinéma, dit-il. Vous n'êtes pas plus antiquaire que moi, et la raison qui m'amène ici, c'est Daisy Minor.

D'abord surpris, son interlocuteur relâcha ses muscles et soupira :

— C'est bon, vous avez gagné. Todd est dans son bureau.

Ce dernier leva les yeux de ses registres quand les deux hommes firent irruption dans la petite pièce. Surpris de voir Jack entre ces murs, il interrogea son collègue du regard puis se leva de son siège.

— Jack Russo, n'est-ce pas ? Votre casquette m'a fait hésiter un instant. Elle est si... rétro.

— Gardez votre baratin pour vous, répondit Jack tout en serrant la main que Todd lui tendait. Si on s'asseyait tous les trois, afin que vous et votre karatéka me convainquiez que je fais fausse route, que vous n'envoyez pas Daisy jouer les cibles vivantes dans certains bars sous le regard de Bruce Lee.

— Howard, corrigea le vendeur.

Todd examina Jack tout en se massant les lèvres.

— Je ne vois vraiment pas de quoi vous voulez parler, dit-il enfin.

— Très bien. Je vais m'y prendre autrement. Dites-moi par exemple pour quelles raisons un hétéro se ferait passer pour gay, et ce qu'il risquerait s'il était démasqué ?

Todd lâcha un petit rire.

— Vous allez un peu loin.

— Vous trouvez ? La première chose que j'ai faite en débarquant ici fut de sillonner la région afin d'assimiler toutes les routes et les différents paysages, si bien que j'ai fréquenté pas mal d'endroits où l'on ne s'attendrait pas à croiser un flic de Hillsboro. J'ai également observé mes concitoyens, pris des renseignements à gauche, à droite, et mémorisé le maximum de noms et de visages, dont les vôtres.

— Et ?

— Et alors, je me dis que lorsqu'on veut jouer les homos et qu'on va à l'hôtel avec une femme, on devrait au moins entrer séparément dans la chambre, et éviter de lui aspirer la langue avant même d'avoir tourné la clé dans la serrure. Disons que ça fait un peu... désordre. Faut-il que je décrive la femme en question ?

— Oui, dit Howard, abasourdi.

— Laissez tomber, dit Todd d'un air renfrogné. Il me semble que vous outrepassez vos fonctions, monsieur Russo.

— Dans ce cas, revenons à ma question initiale : qu'est-ce que vous fabriquez avec Daisy ?

— Je veille sur elle. Les boîtes de nuit ne sont plus très sûres pour les jeunes femmes.

— Pourquoi l'envoyer là-bas, dans ce cas ? Vous la jetez dans la gueule du loup !

— N'exagérons rien. Daisy n'est pas un pauvre

agneau sans défense. C'est une fille intelligente et perspicace qui aspire juste à danser et à faire des rencontres.

— Même les filles les plus intelligentes peuvent se
faire violer de nos jours, parfois même par toute une
bande de types, et elles n'ont pas toutes la chance de
se réveiller le lendemain ! Lui avez-vous seulement dit
de ne jamais accepter un verre d'un inconnu ?

— C'est là que j'entre en scène, intervint Howard. Je
la surveille en permanence, au cas où un type verserait
quelque chose dans sa boisson.

— En permanence, dites-vous ? Alors, vous n'allez
jamais aux toilettes, vous ne la perdez jamais de vue
dans la foule ?

— Je fais de mon mieux.

— De votre mieux ? Vous utilisez Daisy comme un
appât à requins et vous vous contentez de faire « de
votre mieux » ? Allez, dit-il en se tournant vers Todd,
videz votre sac et vous avez intérêt à ne rien me cacher.

Voyant que le flic ne plaisantait pas, Todd prit une
longue inspiration et se lança :

— Je travaille avec Daisy pour des raisons... personnelles.

— Ça tombe bien, répondit Jack, j'en fais moi aussi
une affaire personnelle.

— Alors, vous êtes tombé sous le charme, hein ?
J'étais sûr qu'elle allait chavirer les cœurs.

— Venez-en au fait, grogna Jack.

— OK, je vous la fais courte. Un soir, une amie à moi
est allée au Buffalo Club avec deux autres copines. Elle
avait le spleen et n'était pas d'humeur à danser. Pendant
que ses amies étaient sur la piste, un type s'est approché

pour lui proposer un verre, qu'elle a accepté. La dernière chose dont elle se soit souvenue, c'est d'avoir eu un gros coup de pompe. Elle s'est réveillée le lendemain matin dans son propre lit, toute nue, seule. Elle a vite compris qu'elle avait été violée et sodomisée. Elle a réagi comme il fallait : elle ne s'est pas douchée, a appelé les flics et s'est rendue à l'hôpital, où les médecins ont découvert que pas moins de six mecs lui étaient passés dessus. Elle gardait un souvenir flou de l'homme qui l'avait invitée, et les flics ne disposaient que de malheureuses empreintes digitales relevées dans l'appartement. Ces dernières ne correspondant à aucun individu fiché, l'affaire en est restée là. Le crime restera à jamais impuni, à moins qu'un de ces enfoirés ne soit arrêté pour un autre viol et que son ADN corresponde aux prélèvements de la première affaire.

– Alors vous avez décidé de le traquer vous-même, en envoyant Daisy au casse-pipe ! fulmina Jack. Vous ne croyez pas que les flics sont mieux préparés pour ce genre de guet-apens ? Ils pourraient envoyer une policière entraînée.

– Bien sûr, sauf qu'ils n'ont jamais rien fait. Restrictions budgétaires, dossier non prioritaire, vous connaissez ça mieux que moi. Trop de crimes, et pas assez de personnel ni de crédits.

– J'ai vraiment envie de vous en coller une, dit Jack. Et que feriez-vous si l'un de ces salopards empoisonnait Daisy ? Jouer les justiciers et le flinguer sur le parking ?

– Ma foi, l'idée est séduisante.

— Et qui vous dit que ce serait votre homme ? Ces types-là font des émules tous les jours.

— Je sais. Mais cela donnerait un point de départ. On le ferait parler, il nous balancerait quelques noms, qui mèneraient eux-mêmes à d'autres noms...

Todd étala ses mains sur le bureau et contempla ses phalanges, le visage assombri.

— Mais je ne vous ai pas tout dit, reprit-il. L'amie dont je vous ai parlé n'est autre que la femme que vous avez vue à mon bras. Elle s'était rendue au Buffalo Club suite à une dispute. Elle voulait se marier, et je maintenais que c'était impossible à cause de... Bref, pour diverses raisons.

— Comme cette mission qui vous a été assignée ?

Surpris, Todd releva les yeux un instant.

— Ouais, dit-il d'une voix morne. Comme cette mission. En un sens, ça m'arrangeait d'avoir une telle excuse. J'étais fou d'elle, mais j'avais si peur de m'engager. Et c'est comme ça qu'elle s'est retrouvée au Buffalo...

Jack hocha lentement la tête.

— Elle a suivi une thérapie ? demanda-t-il.

— Oui, pendant quelque temps. Mais ça ne lui a pas réussi. Elle a fini par se suicider.

— Mais je ne savais pas tout ça ! s'écria Howard. Tu m'avais seulement parlé d'une amie victime d'un viol. Je suis désolé.

— Et moi donc ! intervint Jack. Vous êtes en deuil, vous culpabilisez, alors vous décidez d'exposer Daisy aux mêmes risques que celle que vous aimiez. Ah, c'est pas l'envie de vous buter qui me manque !

– Ne forcez pas trop sur la compassion, ironisa Howard.

Todd s'efforça de sourire.

– Vous êtes amoureux d'elle, dit-il. Alors vous perdez votre sang-froid. C'est normal.

– Daisy ne mérite pas d'être manipulée ! Et puis, j'aimerais que vous m'expliquiez une autre chose.

– Je vous écoute, répondit Todd d'un air méfiant.

– Cette mission qu'on vous a confiée... Vous êtes des fédéraux, des locaux ou des privés ?

Les deux complices croisèrent leurs regards.

– Fédéraux. On est sur une affaire de fraude couvrant plusieurs États.

– Parfait. Je vous dispense des détails. Je tenais simplement à savoir à qui j'avais affaire, puisque nous sommes voués à travailler ensemble.

– Mais nous ne pouvons compromettre la mission...

– Ce ne sera pas nécessaire. Il s'est produit quelque chose d'étrange ce matin. Le maire m'a appelé pour identifier un conducteur d'après un numéro de plaque, soi-disant parce qu'il s'était garé dans le couloir de pompiers en face du Dr Bennett. J'ai eu droit aux foutaises habituelles, comme quoi il ne voulait pas qu'on verbalise une personne souffrante, etc.

– Temple Nolan, le maire au grand cœur, railla Todd. Je connais le topo.

– Alors, j'ai entré le numéro dans la bécane, et j'ai vu s'afficher le nom de Daisy. Ce qui est doublement étonnant, car outre que Daisy est incapable de la moindre infraction, je sais qu'elle n'est pas allée chez le médecin ce matin. Autrement dit, le maire m'a menti quant à la provenance de ce numéro. S'il avait effectivement vu le véhicule, il aurait tout de suite reconnu la Ford de Daisy. J'en déduis qu'il a formulé cette requête pour le compte d'un tiers. Reste à savoir qui.

— Un type aura peut-être flashé sur elle au Buffalo, suggéra Howard.

— Quelqu'un qui était persuadé qu'elle ne reviendrait jamais, et qui de surcroît connaissait le maire ? C'est un peu gros, non ?

— Admettons. Vous avez une meilleure idée ?

— Non, tout ce que j'ai, ce sont les poils de ma nuque tout hérissés ! Et ceux-là ne se sont jamais trompés.

— Mais qu'attendez-vous de nous ? demanda Todd. Je ne vois aucune piste à explorer.

— Pour l'instant, je veux surtout m'assurer que Daisy est en sécurité. La bonne nouvelle, c'est que son véhicule est encore domicilié chez sa mère. Le maire pourrait toujours trouver sa nouvelle adresse en interrogeant la compagnie des eaux, mais tant qu'il la croit chez maman...

— Auriez-vous moyen de bloquer cette donnée ? demanda Todd.

— Les factures d'eau sont informatisées. Mes compétences en informatique étant à peu près nulles, je ne saurais pirater le système de l'extérieur, mais je peux tenter une approche de l'intérieur. En revanche, pour les compagnies du téléphone et de l'électricité...

— Ça, je m'en charge, promit Todd. En attendant, qu'elle se mette sur liste rouge au plus vite.

— J'y veillerai.

– Une dernière chose, Russo. Howard et moi sommes en planque depuis deux bonnes années. Si les choses venaient à se décanter, il ne faudrait plus compter sur nous. Vous savez comment ça se passe. Mais d'ici là, on fera notre possible pour vous aider. Officieusement, j'entends.

– Nous entendons la même chose. Petits services entre amis.

18

De retour à Hillsboro, Jack restitua le pick-up à son collègue, s'assura que Daisy était en sécurité à la bibliothèque, et passa l'après-midi à démêler les tracas qui font le quotidien d'un commissariat de police, fût-ce celui d'une petite ville. Il regagna ses pénates à l'heure habituelle, tondit la pelouse pour tuer le temps, puis se doucha et appela à son bureau pour s'assurer qu'Eva Fay était partie. Il en venait parfois à croire qu'elle dormait là-bas, car elle le précédait toujours le matin, et ne partait jamais avant lui. Ce qui, ajouté au fait qu'elle excellait dans son travail, était à vrai dire assez intimidant.

La ligne demeurant sans réponse, la voie était libre. Il alluma le néon de la cuisine, la lampe de chevet de la chambre et le lampadaire du salon afin de simuler une présence – sans oublier la télévision, pour la dimension sonore. Tant que les poursuivants de Daisy ignoraient sa liaison avec le chef des flics, ils n'avaient aucune raison de venir ici, mais on n'était jamais trop

prudent. Vêtu d'un jean, d'un tee-shirt et d'une casquette noirs, les poches lestées de quelques accessoires
utiles, il sortit à la tombée de la nuit par la porte de
derrière et regagna le commissariat à pied, laissant ainsi
sa voiture en évidence dans l'allée. À cette heure-ci, la
plupart des voisins avaient fini de dîner et se déten-
daient devant leurs émissions préférées. Jack croiserait
peut-être quelques retraités assis sur leur porche pour
savourer la relative fraîcheur du soir, mais il se savait
méconnaissable dans le clair-obscur.

Scott Wylie, l'officier de permanence, fut étonné de
voir surgir son patron par la porte de service. Il n'essaya
même pas de cacher le magazine de pêche ouvert sur
ses genoux. Mais pour avoir commencé au bas de
l'échelle, Jack connaissait l'ennui des gardes intermi-
nables, et ne reprochait jamais à ses hommes d'apporter
de la lecture.

— Un problème, chef ?

— Je pensais passer la nuit ici, pour enfin découvrir
l'heure à laquelle Eva Fay arrive.

Scott pouffa.

— Alors, vous n'êtes pas au bout de vos peines. Elle
a un sixième sens pour ce genre de guet-apens. Je parie
qu'elle va se faire porter pâle.

— Je serai dans mon bureau, à dégrossir un peu de
paperasse. J'avais remis ça à demain, mais un imprévu
m'est tombé dessus qui risque de m'occuper toute la
journée.

— Vous êtes consciencieux, dit Scott avant de se
replonger dans sa revue.

Le commissariat était un bâtiment d'un étage disposé en L. La petite aile était réservée aux bureaux, et la grande abritait douches, vestiaires, salles d'interrogatoires et de séquestre au rez-de-chaussée, les cellules de garde à vue en haut. Le bureau de Jack se trouvait à l'étage et donnait sur la rue. Il alluma sa lampe, éparpilla des documents sur son plan de travail pour feindre une intense activité – au cas peu probable où l'on viendrait le demander –, puis sortit une clé d'un tiroir. Il descendit en silence jusqu'au sous-sol, relié à celui de l'hôtel de ville par un petit tunnel servant essentiellement au transfert des prisonniers. Chaque issue était protégée par une porte blindée dont seuls Jack et le policier de garde possédaient les clés. Le secrétaire général de la mairie en avait un double, avant qu'on ne découvre qu'il offrait la visite guidée à toutes ses petites amies.

Jack ouvrit la porte côté police, s'engouffra dans le souterrain et referma derrière lui. S'éclairant au moyen d'une torche-stylo offrant un faisceau mince et puissant, il atteignit la seconde porte, qu'il ne prit pas la peine de refermer vu que les employés de la mairie partaient tous à 17 heures.

Il monta les escaliers à pas de loup, puis entrouvrit la porte du rez-de-chaussée pour repérer une improbable lumière. Il n'y en avait point. L'endroit était parfaitement vide.

Rasséréné, Jack crocheta en un tournemain la serrure de la régie des eaux, s'introduisit dans la pièce et alluma l'ordinateur. Celui-ci n'était protégé par aucun mot de passe, puisque indépendant de tout réseau. Jack cliqua sur le dossier « Applications » et ouvrit un fichier intitulé « Factures ». Comme par magie, il trouva le nom de Daisy et vit apparaître ses coordonnées. Il la domicilia chez lui, enregistra la modification et referma le fichier. Simple comme bonjour.

Il éteignit l'ordinateur, referma la porte – en crochetant la serrure en sens inverse – puis monta jusqu'au bureau du maire. Il ne cherchait rien de particulier, mais excluait de repartir bredouille.

Comme Jack, le maire avait deux portes à son bureau. L'une communiquait avec le bureau de Nadine et l'autre, plus confidentielle, s'ouvrait sur le couloir. Jack choisit la première, pariant que Nadine penserait avoir omis de la verrouiller. La serrure était autrement sophistiquée qu'à la régie des eaux. Sa torche-stylo entre les dents, Jack sonda le canon avec son jeu de crochets et en vint à bout en trente secondes.

Jubilant comme un gosse bravant un interdit, il traversa le bureau de Nadine, la torche baissée vers le sol pour ne pas être repéré de la rue, et essaya la porte du maire. Elle n'était pas verrouillée, ce qui pouvait signifier trois choses : soit Temple n'avait rien à cacher ; soit c'était une vraie tête de linotte ; soit il rangeait les choses compromettantes en lieu sûr. Jack voulait croire en la première, mais penchait en son for intérieur pour la dernière.

Il commença par explorer la corbeille à papier, où il ne dénicha rien d'autre qu'une boulette comportant le numéro d'immatriculation de Daisy. Il défroissa la feuille, qui provenait du bloc à en-tête posé sur le bureau. Cela signifiait que le maire avait pris connaissance de ce numéro ici même, vraisemblablement par téléphone.

Les tiroirs ne renfermaient rien d'intéressant, et les meubles de rangement étaient concentrés dans le bureau de Nadine. Mais Nolan disposait de deux postes téléphoniques : l'un bardé de touches et de noms, et l'autre plus ordinaire, qui devait permettre au maire d'échapper à la surveillance de Nadine.

Ce dernier était muni d'un petit écran digital. Jack enfonça la touche bis, nota rapidement sur le bloc le numéro qui s'affichait et raccrocha. Puis il composa *69, qui permettait de connaître le numéro du dernier appelant. L'indicatif révéla que celui-ci était extérieur à la ville – ce n'était donc pas Mme Nolan demandant à son mari s'il dînait à la maison.

Jack arracha quelques pages supplémentaires au bloc pour s'assurer de n'y avoir laissé aucun relief, et les jeta en boule dans la poubelle avec le numéro de plaque de Daisy. Le service de nettoyage aurait vidé la corbeille d'ici le retour du maire, et quand bien même ce ne fût le cas, Nolan n'aurait aucune raison d'inspecter ses déchets.

Jack ne pouvait rien espérer de plus pour aujourd'hui. Alors il sortit un mouchoir de sa poche et essuya toutes les surfaces qu'il avait touchées. Puis il traversa le secrétariat en sens inverse, descendit l'escalier, entra dans le tunnel, grimpa à l'étage du commissariat et retrouva son bureau. Il rangea son faux désordre pour éviter qu'Eva ne devine qu'il était venu en son absence, éteignit la lumière et referma à clé.

Le rez-de-chaussée s'était animé depuis tout à l'heure. Deux agents encadraient un conducteur ivre, un colosse d'environ deux mètres pour cent cinquante kilos. Mais surpris de croiser le chef à une heure aussi tardive, ils eurent un instant d'inattention, et le chauffard en profita pour renverser le premier d'un coup d'épaule et enfoncer son crâne dans le ventre du second.

Ravi de retrouver un peu d'action, Jack se lança à corps perdu dans la bagarre.

Ils ne furent pas trop de trois pour neutraliser le mastodonte. Et encore, il était menotté ! Lorsque enfin il fut à terre, couché sur le ventre et les chevilles attachées, l'officier Wylie se tenait les côtes en grimaçant.

— Rien de cassé ? demanda Jack, qui saignait légèrement du nez.

— Je ne crois pas. J'aurai juste un hématome.

Mais l'instant d'après, il se tordait de douleur.

— Allez, va te faire examiner, dit Jack. Je prends la relève.

Enoch Stanfield, l'autre agent, avait la lèvre enflée et son œil noircissait à la vitesse grand V. L'influx d'adrénaline l'avait laissé tremblant, et il semblait épuisé.

— On dirait que ça vous a plu, chef, dit-il tout en appliquant un linge froid sur sa paupière.

Jack regarda l'ivrogne allongé par terre, qui ronflait comme un ogre.

— Je vis pour ce genre d'instants, répondit-il.

Un troisième policier les aida à dégager le prévenu du passage, puis ils appelèrent un médecin qui confirma qu'il était juste soûl comme une bourrique. Stanfield en profita pour se faire panser la lèvre et poser une poche de glace sur l'œil. Jack en mit une autre sur sa main gauche endolorie. Il en ignorait la raison, mais c'était le propre des bagarres : on se bat sans se poser de questions, puis on constate les dégâts.

Lorsque tout fut rentré dans l'ordre et Wylie remplacé par un collègue, il était presque 22 h 30. L'équipe de nuit s'apprêtait à relayer celle du soir, et quelques patrouilleurs étaient revenus au poste après avoir entendu sur les ondes que le commissariat s'était transformé en ring. C'était la foule des grands jours.

— Eva Fay va forcément apprendre ce qui s'est passé, soupira Jack, déclenchant l'hilarité de ses hommes.

— Elle va vous incendier quand elle saura que vous êtes venu dans son dos, ajouta Markham, qui affichait vingt ans de maison.

Jack vit que les gars savouraient cet instant privilégié avec leur patron. Depuis son arrivée à Hillsboro, il n'avait jamais eu l'occasion de montrer ce qu'il avait vraiment dans le ventre. Ce soir, il avait mis les mains dans le cambouis, montré qu'il restait un flic de terrain dans l'âme. En un mot : gagné sa légitimité.

Mais il était grand temps de rentrer. À pied, bien entendu. Il aurait pu demander à un patrouilleur de faire un crochet par chez lui, mais cela l'eût obligé à expliquer pourquoi il n'avait pas pris sa voiture.

Dès son retour, il se rua sur le téléphone et appela les renseignements pour demander la ligne privée de Temple Nolan à l'hôtel de ville. Comme il s'y attendait, cette information n'était pas disponible. Il raccrocha puis composa le numéro de Todd Lawrence.

– Allô ? prononça une voix pâteuse au bout de trois sonneries.

– J'ai changé l'adresse, annonça Jack. Je connais aussi le dernier numéro que le maire a appelé et le dernier qu'il a reçu sur sa ligne privée à l'hôtel de ville.

– Je vois qu'on n'a pas chômé, dit Todd d'un ton plus vif.

– Cela nous fait deux numéros à vérifier. Vous pourriez trouver sa ligne confidentielle, et demander tous les relevés ?

– Vous voulez dire : les relevés pour chaque numéro ?

– C'est à ça que servent les amis fédéraux, non ?

– Votre ami fédéral va se faire virer, à ce train-là !

– Mais mon ami fédéral doit bien ça à Daisy.

– Vous avez gagné, soupira Todd. Je vais tâcher d'obtenir quelques faveurs de mes copains. Mais vous me faites franchir la ligne jaune.

Jack contacta ensuite Daisy, bien qu'il fût plus de 23 heures. Elle devait être couchée, mais il estimait que ses efforts pour elle valaient bien quelques minutes de conversation.

– Allô ?

Sa voix était tout à fait éveillée. Fatiguée, mais éveillée.

– Tu es couchée ?

– Pas encore. La soirée fut... animée.

– Quoi ? Que s'est-il passé ? s'inquiéta Jack.

– Je ne peux pas me retourner sans qu'il renverse quelque chose.

– Qui ça, « il » ?

– Le chien.

Jack poussa un ouf de soulagement. Ce n'était que le chien.

– Il n'a pas l'air très bien dressé, dit-il.

– Il ne l'est pas du tout. Non, Killer, arrête ! Lâche ça tout de suite ! Je vais devoir te laisser, Jack...

– J'arrive dans un instant, répondit-il juste avant qu'elle ne raccroche.

Avait-elle entendu cette dernière phrase ? Peu importe. Il prit ses clés, éteignit toutes les lumières et se mit en route.

Daisy était sur les rotules. Sa mère l'avait appelée à 15 heures pour lui dire d'une voix lasse :

– Jo et moi emmenons le chiot chez toi. Tu as un jardin fermé où il pourra courir à sa guise. Nous t'attendrons là-bas.

Des paroles qui ne laissaient rien présager de bon.

Quand elle était rentrée sur le coup de 17 h 10, elle avait trouvé sa mère et sa tante assoupies sur le canapé, le chien endormi entre les pieds d'Evelyn. Il avait l'air d'un ange, allongé sur le ventre avec les pattes étendues en étoile.

– Salut, trésor, avait-elle susurré.

Il avait entrouvert une paupière, frétillé trois fois la queue et retrouvé les bras de Morphée.

Joella s'était ébrouée.

– Dieu merci, tu es là ! Bonne chance, ma nièce. Viens, sœurette, partons avant que le monstre ne se réveille.

Evelyn s'était redressée et avait contemplé d'un air dépité la bête couchée entre ses pieds.

– Ce chien n'a que deux vitesses, expliqua-t-elle. Soit il roupille, soit il court partout. À part ça, il faut le sortir toutes les deux heures. Sa vessie est réglée comme du papier à musique.

– Allez, dépêche-toi, dit Joella en la tirant par la manche.

– Il aime ses peluches... ajouta Evelyn.

– Il aime tout, coupa Joella, même son écuelle. Allez, pressons, ou je pars sans toi.

Le chiot avait levé la tête et bâillé en tirant sa petite langue rose. Dans les dix secondes, Evelyn et Joella avaient attrapé leurs sacs à main et franchi la porte.

Daisy avait alors posé les mains sur sa taille et toisé la petite boule de poils :

– Alors, monsieur fait les quatre cents coups ?

Le chenapan roula sur le dos et s'étira. Daisy ne put résister à l'envie de caresser son petit ventre chaud, ce qu'il prit pour une invitation à la lécher partout. Elle le prit dans ses bras, attendrie par sa légèreté et sa douceur. Il se mit à agiter sa queue et ses pattes démesurées, signe qu'il voulait descendre. Sitôt à terre, il fila comme une fusée vers la cuisine.

Il avait soif. Il lapa joyeusement l'eau de son écuelle, puis y plongea d'un coup ses deux pattes avant, éclaboussant le lino de la cuisine.

Daisy donna un coup de serpillière – laquelle n'échappa pas aux assauts du chiot –, lui donna à manger et l'emmena au jardin faire ses besoins.

Il se soulagea dès qu'il eut touché l'herbe, puis attaqua un buisson. Craignant que les feuilles ne l'empoisonnent ou ne perturbent sa digestion, Daisy l'éloigna et décida de remplir la petite piscine qu'elle lui avait achetée.

Incapable d'escalader la paroi tout seul, il se fit déposer dans le bain profond de cinq centimètres, et batifola jusqu'à ce que sa maîtresse soit trempée comme une soupe. Elle le sortit du bassin, l'enveloppa dans une serviette et le ramena à l'intérieur, priant pour qu'il se rendorme et la laisse enfin manger.

Il plongea à nouveau dans son écuelle. Puis maltraita la serpillière avant de trouver mieux : le torchon de la cuisine, avec lequel il se réfugia sous le lit de la chambre. Daisy le délogea de sa cachette à deux mains, puis tenta de lui faire rendre le torchon. Il prit cela pour un jeu et résista de toutes ses forces, frémissant de tous ses muscles, poussant des grognements de bébé.

Elle fit diversion en jetant un canard en peluche sous son nez. Il lâcha aussitôt le torchon et sauta par terre. Il boxa le jouet sans retenue puis parvint à le coincer sous le canapé. Il se mit à japper jusqu'à ce que Daisy s'accroupisse pour récupérer la peluche. Quelques secondes plus tard, il la renvoyait au même endroit.

Elle essaya alors le hochet en caoutchouc, qui l'occupa pendant une dizaine de minutes, le temps pour elle de se changer et de préparer un sandwich. Elle n'avait pas terminé quand elle entendit un bruit suspect dans le salon. Elle s'y précipita et vit que le petit monstre était parvenu à faire chuter de la table basse la télécommande du téléviseur. Elle la lui arracha de la gueule et la rangea en hauteur.

Après plusieurs bêtises de cette veine, la fatigue s'empara du chiot, l'interrompant en pleine course pour un somme instantané. Il était plus de 19 heures et Daisy mourait de faim. Elle dévora son sandwich en gardant un œil sur son nouveau compagnon. Puis elle décida de prendre une douche rapide. Il se réveilla avant la fin, et vint admirer sa maîtresse sous le jet d'eau, piaffant de ne pouvoir la rejoindre à cause du montant de la baignoire. Elle se rhabilla vite fait et passa la soirée à jouer avec lui, tout en lui cherchant un prénom.

– Que dirais-tu de Brutus ?

Le chiot bâilla.

– Tu as raison. Tu n'as pas une tête de brute. Satan ? Non, c'est excessif. Et puis, je suis persuadée que tu seras un ange d'ici quelques mois.

Suivirent Conan, King, Rambo, Rocky, Samson, Rahan, Musclor. Mais aucun ne semblait convenir. Le petit cabotin ne se prêtait guère aux noms virils.

Elle lui donna à boire, le sortit faire ses besoins puis l'installa avec le canard en peluche dans son panier, qu'elle avait disposé dans la chambre afin qu'il ne se sente pas abandonné. Puis, elle se brossa les dents et se glissa sous les draps. Deux secondes après qu'elle eut éteint la lumière, il se mit à gémir.

Au bout d'un quart d'heure, elle avait fini par céder et l'avait accueilli dans le lit. Fou de joie, il avait sautillé dans les couvertures et lui avait léché le visage. Il commençait à se calmer quand Jack avait téléphoné. Pendant qu'ils parlaient, le chiot avait trouvé le peignoir de Daisy, en boule au pied du lit, et planté ses crocs dans une manche.

Dans les cinq minutes qui suivirent, la sonnette trilla. Épuisée, Daisy s'extirpa du lit, prit le chien dans ses bras et se rendit à la porte. Reconnaissant Jack à travers le judas, elle alluma la lumière de l'entrée, défit la chaînette de sécurité et ouvrit la porte.

Il s'avança puis stoppa net en découvrant l'animal.

— C'est un chiot ! s'écria-t-il.

— Quoi ? Tu préfères les chats ?

— Mais c'est un retriever !

— Exact, dit-elle en serrant la bête dans ses bras.

Jack referma la porte, tourna le verrou, puis se frappa lentement la tête contre le chambranle.

— Que reproches-tu à mon chien, enfin ?

— L'idée de départ était de te protéger, Daisy !

— Mais il va grandir. Regarde la taille de ses pattes. Il sera énorme.

— Mais ce sera toujours un retriever.

— Et alors ? Tu ne le trouves pas chou ?

— Il est splendide, chérie. Mais ces chiens-là sont si sociables qu'ils ne protègent personne. Ils voient en chaque être humain un ami venu sur terre dans le seul but de jouer. Au mieux, il aboiera pour te signaler un visiteur, et encore.

— Ça me convient tout à fait.

Elle embrassa le petit crâne soyeux du chiot qui se débattait, brûlant de pouvoir renifler le nouveau venu.

Jack leva les yeux au ciel et prit le toutou dans sa paume, qui fut goulûment léchée.

— Alors, il s'appelle Killer ? demanda-t-il.

— Non, j'essayais différents noms, mais rien ne semble convenir.

— Forcément, si tu demandes à cette chose d'avoir une tête de tueur... Pourquoi pas Riley ? Ou Midas ?

— Oui, Midas ! C'est parfait.

Elle sauta au cou de Jack pour l'embrasser, mais Midas fut le plus rapide des deux mâles, qui atteignit le premier la bouche de sa maîtresse. Elle grimaça et s'essuya les lèvres.

— Désolée, bébé, mais pour ce qui est d'embrasser, tu n'arrives pas à la cheville de ce mec.

— Flatté, dit Jack en écartant Midas le temps d'un baiser, qui se prolongea suffisamment pour que Daisy se sente à nouveau fondre.

— Ça t'embête si je dors ici ? demanda-t-il en relevant la tête.

— J'en serais ravie, répondit-elle juste avant de décocher un bâillement.

— Menteuse ! Tu dors debout.

— Que veux-tu, je me suis beaucoup dépensée ces derniers jours. Notamment ces dernières heures. (Elle posa les yeux sur Midas.) Dès que j'ai le dos tourné, c'est la catastrophe.

— Et si je restais juste pour dormir ?

— Mais pourquoi ferais-tu une chose pareille ? s'étonna Daisy.

— Pour m'assurer qu'il ne t'arrive rien.

— Je crois que tu te biles un peu trop, Jack.

— J'espère que c'est le cas, mais j'en doute. Aujourd'hui le maire m'a demandé d'identifier un numéro de plaque, soi-disant parce que le véhicule était garé dans le couloir des pompiers en face du Dr Bennett. Et devine à qui appartenait ce numéro ?

— Dis-le-moi.

— À ta voiture.

— À ma voiture ? Jamais je ne m'arrêterais dans un couloir de pompiers, voyons !

— C'est bien ce que je pensais, dit Jack en reposant Midas par terre. En outre, s'il avait vu ta voiture comme il le prétend, il l'aurait tout de suite reconnue, ce qui signifie qu'il a agi à la demande d'un tiers. Et c'est ça qui me chiffonne. Heureusement, du fait de ton déménagement, tu n'habites plus à l'adresse figurant sur ta carte grise.

— Mon Dieu, tu as raison ! Je vais régulariser ça au plus vite.

— Surtout pas. Je dois d'abord élucider ce mystère.

— Et pourquoi n'interroges-tu pas Temple ?

— Parce qu'il n'est pas net. Et je ne veux pas qu'il se méfie.

— Mais si quelqu'un cherche ma nouvelle adresse, il lui suffit de me suivre au retour de la bibliothèque.

— J'y ai pensé. C'est pourquoi à partir de demain je te ferai office de chauffeur, et je te promets que personne ne pourra nous suivre.

Daisy peinait à croire ce qu'elle entendait. Mais le visage et le ton de Jack étaient sans équivoque. Pour la première fois, elle se sentit gagnée par la peur.

Midas trotta jusqu'à la cuisine et plongea dans son écuelle.

– Tu veux bien l'emmener au jardin pendant que je passe la serpillière ? demanda Daisy d'une voix lasse. Puis on ira se coucher.

– Avec lui ?

– Que veux-tu, c'est un bébé. Tu préfères l'entendre brailler toute la nuit ?

Jack sortit en secouant la tête, et revint dix minutes plus tard avec le chiot endormi.

– J'imagine qu'il va occuper le milieu du lit, maugréa-t-il.

Daisy soupira.

– Il s'installera où il veut, du moment qu'il dort. Au fait, il faut le sortir toutes les deux heures.

– Pardon ?

– Un bébé est un bébé. Il ne peut pas se retenir longtemps.

– Eh bien ! Je sens que j'ai bien fait de venir...

19

Sykes commençait à douter de l'adresse fournie par Nolan. Depuis ce matin qu'il surveillait la maison, il avait observé les allées et venues de deux femmes d'âge mûr sans jamais apercevoir la blonde. De retour chez lui, il ouvrit l'annuaire, mais ne trouva pas d'autre Minor domiciliée en ville. Elle vivait forcément là. Elle était peut-être partie en voyage d'affaires ou en congé, qui sait ?

Sykes était partagé entre le soulagement et l'inquiétude : de toute évidence, la fille ne s'était guère formalisée de ce qu'elle avait vu sur le parking du Buffalo Club, ce qui était un bon point, mais on venait d'annoncer aux infos la découverte d'un cadavre dans les bois. Or, la garce pouvait avoir un déclic en tombant sur la photo de Mitchell dans le journal.

Par ailleurs, le maire semblait assez ébranlé par la situation, ce qui était pour le moins inhabituel et tout aussi gênant. Sortir de cette mauvaise passe exigeait maîtrise et sang-froid. Pour cette raison, Sykes hésitait à informer Nolan que la miss était introuvable. Il fallait que tout soit rentré dans l'ordre – c'est-à-dire le maire calmé et la fille liquidée – avant le prochain arrivage, imminent. Des filles russes, parmi lesquelles, disait-on, une pure beauté de treize ans.

Il refit plusieurs passages devant la maison Minor à la tombée de la nuit, mais la Ford beige n'était pas réapparue. Puis il eut une illumination : pourquoi ne pas la guetter au Buffalo Club ? Cette poule préférait forcément faire la fête que de veiller deux vioques. Bon sang, pourquoi n'y avait-il pas pensé plus tôt ? Persuadé de tenir sa proie, il mit le cap sur le comté de Madison.

Mais il ne trouva pas davantage de Ford beige sur le parking de la boîte de nuit. Et il n'en avait croisé aucune sur la route. Soit la fille était déjà repartie avec un mec, soit elle avait changé de club.

Il apparaissait que le meilleur biais pour la coincer serait encore son lieu de travail. Trouver celui-ci n'était pas sorcier dans une petite ville comme Hillsboro. Qui sait, peut-être même le maire avait-il la réponse. Peut-être connaissait-il personnellement la fille, ce qui expliquerait son trouble manifeste. Temple Nolan, dévoré de scrupules ? Pourquoi pas. Il y a un début à tout.

C'était décidé : Sykes appellerait le maire demain à la première heure, puis, quel que soit le fruit de leur discussion, il finirait par localiser sa cible. Pour l'heure, il allait s'offrir une bonne nuit de sommeil. Car la journée qui l'attendait promettait d'être longue.

– C'est aussi contraignant qu'un nouveau-né, grommela Jack, les traits tirés, devant sa deuxième tasse de café.

– Et encore, les bébés restent là où on les couche. On n'a pas besoin de les poursuivre à travers la chambre pendant des plombes, répondit Daisy avec de petits yeux.

Le monstre avait bien fait son pipi toutes les deux heures. Malheureusement, pour lui cette phase appelait systématiquement celle du jeu, et le persuader du contraire requérait des efforts surhumains.

Pour l'instant, couché sur le dos avec son canard dans la gueule, il dormait comme un bienheureux sous l'œil hagard de ses maîtres épuisés.

– Puisqu'à défaut d'un chien de garde, tu as acheté un paillasson, dit Jack, je te demande de redoubler de vigilance jusqu'à ce que j'aie éclairci cette affaire de plaque d'immatriculation. En attendant, je te conduirai au boulot, te raccompagnerai le soir, et passerai chaque nuit avec toi.

– Si tu veux, répondit Daisy.

Jack lui signifiait ni plus ni moins son intention d'emménager avec elle, fût-ce provisoirement. Mais ce qui laissait Daisy interdite, c'était la joie que cela lui inspirait. Jack n'était pas son type d'homme ? La belle affaire !

– J'ai un conseil municipal ce soir, poursuivit-il, alors je te ramènerai chez toi puis je passerai chez moi pour me changer et me doucher, et je rentrerai après la réunion.

– Je t'attends pour dîner ? demanda-t-elle machina-lement.

– Non, mange quand tu en as envie, si toutefois môs-sieur Midas le veut bien.

Avant d'oublier, Daisy appela sa mère pour savoir si elle voulait toujours surveiller le chien.

– Pas de problème, tant que c'est chez toi, répondit Evelyn. Ton jardin a le mérite d'être clôturé, et ce n'est pas du luxe avec ce voyou. J'arriverai vers 8 h 30 pour ne pas te mettre en retard.

Daisy raccrocha et fut aussitôt frappée par une vision d'horreur.

– Tu dois partir, Jack. Ma mère va venir.

Il sourit d'un air espiègle.

– Si tu me prépares un bon petit déj, je débarrasse le plancher à 8 heures puis je repasse te prendre pour la bibliothèque, offrit Jack.

– Ça marche. Il ne faut pas longtemps pour verser des céréales dans un bol, de toute façon.

– Je suis plutôt pancakes, précisa-t-il.

Levant les yeux au ciel, elle alluma le four.

– J'aime aussi les œufs et le bacon.

Il profitait de la situation, mais c'était de bonne guerre. Elle lui devait bien ça. Elle rassembla les ingré-dients, mit une tranche de bacon à griller et prépara la pâte à crêpes.

– Mais que fais-tu ? demanda-t-il. Je pensais que tu utiliserais une poudre lyophilisée.

– Tu m'as bien regardée ?

Elle termina de fouetter la pâte puis sortit sa poêle à crêpes toute neuve.

– Elle n'a pas eu le temps de reposer, mais ça devrait aller, promit-elle.

Jack l'embrassa dans le cou puis se servit un troisième café, et se rassit devant le quotidien de Huntsville de la veille. Accaparée par Midas, Daisy n'avait pu y jeter un œil.

En déposant la première crêpe dans l'assiette de Jack, elle remarqua la photo publiée en une. Elle connaissait ce visage, mais d'où ?

– Qui est ce type ? demanda-t-elle.

Jack lut la légende :

– Chad Mitchell. Un chasseur a retrouvé son cadavre dimanche matin.

– Je le connais.

Il reposa le journal et se tourna vers elle.

– Et comment l'as-tu connu ?

– Je ne sais pas, mais ça va me revenir. Je mets un œuf dans ta prochaine crêpe ?

– S'il te plaît.

Daisy s'activa, ce qui l'aidait à mobiliser sa mémoire.

– Ça y est ! s'écria-t-elle.

– Un usager de la bibliothèque ?

– Non, il était au Buffalo Club. Il a voulu danser avec moi le premier soir, puis il a tenu à m'offrir un Coca, mais la bagarre a éclaté pendant qu'il était au bar.

Jack reposa sa fourchette et fronça les sourcils.

– Et tu ne l'as jamais revu ?

– Je ne crois pas, dit-elle d'une voix hésitante, tout en retournant la crêpe.

– Comment ça ? Tu n'en es pas sûre ?

– Je me demande si ce n'est pas lui que j'ai aperçu sur le parking samedi dernier, juste avant que j'entre dans le club. Il était accompagné de deux autres types, et un troisième les a rejoints. Il paraissait tout à fait lucide en sortant de la boîte, puis il a brusquement perdu conscience, et ses copains l'ont hissé à l'arrière d'un pick-up.

– Nom de Dieu...

Daisy blêmit.

– Tu crois que je suis la dernière personne à l'avoir vu vivant ? balbutia-t-elle.

– Je crois surtout que tu l'as vu se faire buter, répondit-il sans ambages.

– Mais... Je n'ai entendu aucun coup de feu, ni...

La spatule à la main, elle s'adossa au réfrigérateur. Jack parcourut l'article accompagnant la photo.

– Il a été égorgé.

Livide, Daisy se mit à flageoler sur ses jambes. Jack se leva pour la soutenir, mais elle le repoussa gentiment, préférant s'occuper l'esprit en poursuivant sa besogne.

– Tu as un téléphone filaire ? demanda Jack. Je me méfie des sans-fil.

– Oui, dans la chambre.

Il s'y rendit sur-le-champ.

Daisy s'efforça de faire le vide dans sa tête, tout en disposant sur la table les dernières pancakes aux œufs et au bacon de son amant.

– Mes hommes vont vérifier certains trucs, dit-il à son retour, mais j'ai peur que l'un des types du parking t'ait repérée, ce qui l'aurait amené à relever ton numéro d'immatriculation.

— Dans ce cas, appelle le maire pour lui demander d'où il le tient.

— N'oublie pas que Nolan m'a menti, rétorqua Jack. Il est peut-être impliqué dans le meurtre.

Et d'ajouter, après un silence :

— Il l'est sûrement.

— Alors que fait-on ? demanda Daisy.

— Ne dis à personne que tu as déménagé, et passe la consigne à Evelyn et Joella. D'ailleurs, rappelle ta mère pour qu'elle s'assure de ne pas être suivie en venant ici.

— Tu la prends pour James Bond ?

— Alors, qu'elle laisse le volant à sa sœur. À mon avis, Joella excelle dans ce genre de missions.

Pour finir, c'est lui qui appela Evelyn, pendant que Daisy reprenait ses esprits. Calmement, il donna des instructions précises, puis ajouta :

— Vous possédez un identificateur d'appels ? Dans ce cas, effacez-le, afin que le numéro de Daisy n'apparaisse nulle part.

— Je suis censée faire une déposition, n'est-ce pas ? demanda Daisy quand il eut raccroché.

— Oui, aussi vite que possible.

Sur ces mots, il reprit le téléphone et enfonça la touche « bis ».

— Evelyn ? C'est encore Jack. Daisy n'ira pas travailler aujourd'hui. Pourriez-vous appeler...

Il interrogea Daisy du regard, qui chuchota « Kendra ».

— ... Kendra pour la prévenir ? Prétextez une rage de dents.

Il raccrocha, et expliqua :

— Si ce type veut t'empêcher de témoigner, alors le mieux est de le faire le plus vite possible. Quand ce sera fait, il n'aura plus grand intérêt à t'éliminer.

— Mais il faut être en vie pour témoigner... ironisa Daisy, comme pour surmonter sa peur.

— Tu le seras, chérie. Je te le jure.

20

En ce beau mardi matin, Sykes décida de déroger à la règle et d'appeler directement Temple Nolan chez lui. Où que travaille la blonde, il voulait arriver à temps pour l'intercepter à son arrivée ou, à défaut, la suivre après son départ.

La voix brumeuse du maire répondit à la troisième sonnerie :

– Allô ?

– C'est moi.

– Sykes ! Mais qu'est-ce qui te prend d'appeler ici ? Temple semblait tout de suite plus éveillé.

– La petite Minor n'est jamais apparue à l'adresse que vous m'avez donnée. Vous êtes sûr qu'elle habite là ?

– Aussi sûr que je m'appelle Nolan. Elle y a passé toute sa vie.

Voilà qui réglait déjà une question, songea Sykes : le maire connaissait bien sa future victime.

– Alors elle a découché la nuit dernière, reprit-il. Elle a peut-être trouvé un fiancé.

— Daisy Minor ? Aucune chance, ricana Nolan.

— Je vous rappelle quand même que votre sainte-nitouche fréquente le Buffalo Club.

— C'est vrai, soupira-t-il. Et elle s'est fait teindre les cheveux. Bon sang...

— Par chance, il semble qu'elle ne se doute de rien.

— Dans ce cas, nous pourrions peut-être laisser tomber...

— Pas question. Cette fille nous menace comme une épée de Damoclès. Les poupées russes vont débarquer sous peu, et vous laisseriez cette nana tout gâcher ? Je doute que Phillips reste stoïque devant une telle perte. Les Russes valent trois fois plus que les autres.

— Putain...

Considérant ces deux syllabes comme un feu vert, Sykes entra dans le vif du sujet :

— Alors, où travaille-t-elle ?

— C'est la bibliothécaire.

— La bibliothécaire ?

— Elle dirige la bibliothèque municipale de Hillsboro, qui jouxte l'hôtel de ville. Elle travaille seule de 9 heures à midi, me semble-t-il, mais tu ne pourras pas la cueillir là-bas. Il y a trop de passage, et c'est à quelques mètres du commissariat.

— Alors je la suivrai à la pause déjeuner. Ne vous en faites pas. D'une manière ou d'une autre, je l'aurai aujourd'hui.

Les deux hommes raccrochèrent, aussitôt imités par Jennifer Nolan qui, depuis sa chambre, avait suivi toute la conversation. Cela faisait des années qu'elle espionnait les échanges de son mari, un geste de suspicion devenu avec le temps un simple vice. Elle ne comptait plus ses maîtresses et se sentait pourtant meurtrie chaque fois qu'elle en découvrait une nouvelle. Elle avait longtemps songé à le quitter, mais le courage lui avait toujours manqué ; il était tellement plus simple de se réfugier dans l'alcool ou dans des bras virils. En quelques occasions, elle avait même réussi à se convaincre que Nolan souffrait autant qu'elle de se savoir cocu, jusqu'à ce qu'il lui demande de coucher avec des types qui lui avaient rendu service.

Elton Phillips était l'un d'eux, et ce nom suffisait à raviver toute la haine que Jennifer vouait à son mari, une haine inextinguible qui la rongeait comme de l'acide. Temple savait forcément de quoi Phillips était capable, et malgré cela il avait jeté sa femme entre ses griffes. Dans le secret d'une chambre inconnue, elle avait pleuré, crié, hurlé, suppliant le ciel de la laisser en vie – puis de la lui ôter, tant elle se sentait souillée.

Mais Phillips n'avait pas tenté de l'éliminer. À quoi bon ? Jamais elle n'oserait révéler à ses enfants ce que leur père lui avait fait subir. De toute façon, ils mettraient ses allégations sur le compte de l'alcool. En revanche, Jason et Paige la renieraient à jamais s'ils apprenaient toutes ses infidélités, que Temple ne se priverait pas d'ébruiter.

Cet imbécile s'était-il seulement rendu compte que, depuis l'épisode Phillips, elle ne lui avait jamais montré le moindre appétit sexuel ? Elle serrait les dents chaque fois qu'il la touchait, et l'alcool n'y faisait rien. Temple l'avait même privée de ce plaisir-là.

Ce qu'elle venait d'entendre au téléphone lui permettrait peut-être de faire d'une pierre deux coups : se débarrasser de Temple et renouer avec ses enfants, le seul bonheur qu'il lui restait.

Elle s'efforça de se remémorer la teneur de la conversation qu'elle avait surprise. Temple avait prononcé le nom de son interlocuteur. Un nom en S – Sykes ! Puis évoqué de mystérieuses « poupées russes » qui s'apprêtaient à débarquer. Était-ce un message codé, ou Temple était-il mêlé à un trafic de clandestins ? C'eût été étonnant, vu ses prises de position contre l'immigration. Jennifer était cependant convaincue d'une chose : si Phillips était dans le coup, c'était forcément sordide.

Leur conversation avait pour objet Daisy Minor, qui semblait mettre en péril leurs obscurs desseins. Temple parlait de la « cueillir » et Sykes de l'« avoir ». En un mot, la tuer.

Elle se devait d'en parler à quelqu'un, mais à qui ? Le réflexe le plus évident serait d'alerter la police, mais on ne la croirait jamais. Le maire prévoit de tuer la bibliothécaire ? Et importe des immigrés clandestins ? Vous buvez trop, madame.

Vers qui se tourner alors ? Elle n'avait aucun ami qui puisse la conseiller ; ses parents s'étaient installés en Floride et son unique frère ne lui avait pas adressé la parole depuis une éternité – elle doutait même d'avoir son dernier numéro.

Il fallait au moins prévenir Daisy. Jennifer tendit le bras vers le téléphone, puis se ravisa au moment de décrocher. Si elle pouvait écouter les conversations de Temple, alors lui pouvait en faire autant.

Elle avait jusqu'à midi pour agir, avant que Sykes ne passe à l'acte. Elle attendrait tranquillement le départ de son mari pour appeler Daisy. Resterait ensuite à trouver le moyen de neutraliser Phillips et Temple une bonne fois pour toutes.

À peine arrivée chez sa fille, Evelyn toisa Jack d'un air sévère et le bombarda de questions :

– Pour quelle raison serais-je suivie ? Pourquoi devons-nous cacher la nouvelle adresse de Daisy ? Pourquoi fallait-il effacer la mémoire de l'identificateur d'appel ?

– Daisy a peut-être été le témoin d'un meurtre, répondit-il tout en posant son assiette vers l'évier.

– Dieu du ciel !

Abasourdie, Evelyn se laissa tomber sur la chaise de Jack. Midas accourut pour lui faire la fête, et elle le caressa machinalement.

– Le corps a été retrouvé dans le comté de Madison, c'est pourquoi j'emmène Daisy à Huntsville pour sa déposition. Ce qui m'inquiète, c'est que quelqu'un a cherché à la retrouver d'après sa plaque d'immatriculation. Autrement dit, le tueur est peut-être à ses trousses. J'en fais peut-être des tonnes, mais je préfère être trop prudent que pas assez. En conséquence, j'ai l'intention de placer votre fille en lieu sûr.

– Mais j'y compte bien, jeune homme. Faites le maximum pour elle, entendu ?

– Comptez sur moi, madame. De votre côté, dites à tous les membres de votre famille de ne répondre à

217

aucune question concernant Daisy. Même venant du maire. Car il est peut-être dans le coup.

– Temple Nolan ? glapit Evelyn.

– C'est lui qui m'a demandé d'identifier la plaque.

– Il y a sûrement une explication toute simple...

– Peut-être, mais cette hypothèse vaut-elle qu'on risque la vie de votre fille ?

– Bien sûr que non !

– Nous sommes d'accord.

Pendant qu'Evelyn et Jack dialoguaient, Daisy fit la vaisselle et donna un coup d'éponge sur l'évier. Mille pensées défilaient dans sa tête, dont l'une méritait d'être énoncée à voix haute :

– Le maire connaît chacune d'entre nous, Jack ! Maman, Joella, Beth, moi... S'il est impliqué, alors nous sommes toutes en danger, car il sait que je ferais n'importe quoi pour mes proches. Tu auras les moyens de protéger tout le monde ? Sans compter Nathan et les enfants...

Jack hésita un instant, puis avoua :

– À court terme seulement. Nous serons vite coincés pour des raisons budgétaires.

– Mais à moins que je puisse identifier formellement l'un des trois types d'après une photo de police, ou que le crime soit élucidé par d'autres biais, on s'oriente plutôt vers du long terme, non ? observa Daisy.

Jack hocha la tête, presque navré qu'elle soit si perspicace.

– Tu n'as pas tort, Daisy, mais ne cédons pas au catastrophisme. Voyons chaque chose en son temps.

Pour l'instant, il s'agit de faire ta déposition et de décrire les trois hommes.

— Désolée, Jack, mais je pense d'abord à ma famille, et j'exige qu'elle soit protégée. Non, mieux : je veux qu'elle parte ! Dis, maman, pourquoi Joella et toi n'emmèneriez-vous pas Beth et les petits passer une semaine dans les Appalaches ?

— Si tu crois que je vais t'abandonner dans un moment pareil !

— Mais ce sera mieux pour tout le monde. La police n'aura qu'une personne à surveiller, et je serais plus attentive si je sais que tu ne risques rien.

— Elle a raison, dit Jack. Faites vos valises et quittez la ville dès que possible. D'ici là, je vais affecter deux policiers à votre surveillance et demander aux collègues de Huntsville de faire de même pour Beth.

— Et que devient le chiot ? demanda Evelyn. Qui va s'en occuper ?

Les regards convergèrent sur le monstre, occupé à dévorer un pied de chaise.

— Non, Midas ! gronda Daisy avant de le prendre dans ses bras. Puisqu'il semble exclu que j'aille travailler cette semaine, j'aurais du temps pour lui.

— Alors, c'est Midas ? demanda Evelyn d'un air détaché, façon de dire qu'elle acceptait de remettre sa fille entre les mains de Jack.

— Oui, c'est lui qui a trouvé ce nom, expliqua Daisy, luttant pour contenir son émotion.

Jack tenta d'éviter les grands épanchements :

— Allez, mesdames. Vous avez du pain sur la planche. Je vais passer quelques coups de fil. Deux agents seront devant votre maison d'ici quelques minutes, Evelyn.

– Alors il faut que je prévienne Jo ! répondit-elle en empoignant le sans-fil de Daisy.

Trente secondes plus tard, Evelyn descendait l'allée sous le regard embué de sa fille.

– Au fait, Jack, dit-elle en se retournant d'un coup. J'ai quelque chose à vous dire.

– Oui, madame ?

– Je pense, en tout modestie, pouvoir faire une excellente belle-mère. Mais je serai la plus redoutable des ennemies s'il arrive quoi que ce soit à ma fille. Compris ?

– Oui, madame.

Dans un silence gêné, Jack et Daisy saluèrent la voiture qui s'éloignait, puis rentrèrent.

Elle occupa la salle de bains pendant qu'il passait une série de coups de fil dans la chambre. Il avait renoncé à faire un saut chez lui pour se changer et se raser, n'osant la laisser seule ne fût-ce qu'une demi-heure.

Daisy médita devant son reflet dans la glace. Elle peinait à se dire que tout cela était bien réel. Ce genre d'histoire n'était pas censé arriver à une petite bibliothécaire de province. À peine avait-elle entrepris sa « chasse à l'homme » qu'elle se retrouvait elle-même gibier...

Jack reparut.

– Tout est réglé pour ta famille. Mes hommes vont escorter ta mère et ta tante jusque chez Beth, et elles seront introuvables d'ici quelques heures.

– Parfait.

Elle se passa un coup de rouge à lèvres puis recula.

– La place est libre, dit-elle. Au besoin, tu trouveras un rasoir dans l'armoire à pharmacie.

Il baissa les yeux sur Midas, agrippé à ses lacets de chaussure.

– J'imagine que tu as une caisse ou une cage où l'enfermer pendant notre absence, dit-il.

– Non. Mais ce n'est pas un problème. Il vient avec nous.

À 8 h 45, soit quinze minutes après son horaire de départ habituel, Temple demeurait attablé devant une orange pressée, une coupe de fromage blanc et un pain au lait à peine entamés. Patricia, la gouvernante, avait déjà quitté la cuisine pour faire les chambres et préparer les lessives.

Jennifer n'avala rien. En général, son manque d'appétit était dû à l'alcool de la veille. Mais ce matin, c'étaient ses nerfs qui lui nouaient l'estomac. Elle était assise en face de son mari, les yeux perdus dans son café, qu'elle rêvait d'allonger d'une goutte de whisky. Mais elle savait comment cela finirait, et la tâche qui l'attendait imposait la sobriété. Les phalanges crispées sur la tasse pour en dissimuler le tremblement, elle priait pour que Nolan parte au plus vite. Avant qu'elle ne craque.

Il ne lui adressa pas la parole, ce qui en soi n'était pas rare. Ils étaient devenus deux étrangers vivant sous le même toit. Il ne l'emmenait plus dans les soirées mondaines, ne l'informait pas de ses déplacements ni ne prévenait de ses retards ; il ne lui racontait jamais ses journées et omettait de signaler les coups de fil des enfants – qui n'appelaient plus qu'à son bureau.

Jason et Page avaient honte de leur mère et la fuyaient autant que possible. Sur ce point, Temple était parvenu à ses fins. Mais elle reconnaissait lui avoir facilité la tâche, en sombrant dans l'alcoolisme au lieu d'affronter la vérité en face, à savoir que son mari ne l'avait jamais aimée et ne l'aimerait jamais. Elle aurait dû partir avec les enfants quand ils étaient petits. La procédure de divorce eût été infernale, mais elle aurait au moins préservé sa dignité et l'estime de sa progéniture.

Elle regarda la pendule. 8 h 55. Mais pourquoi s'éternisait-il ?

La sonnerie du téléphone la fit sursauter. Temple se leva, décrocha le sans-fil et s'isola dans son bureau.

Jennifer tenait sa réponse : il attendait un appel.

Fébrile, elle emporta la tasse dans sa chambre et ferma le loquet. Patricia avait déjà fait le lit et nettoyé la salle de bains. Jennifer s'assit au bord de l'édredon et contempla le téléphone. Si elle décrochait maintenant, Temple entendrait le clic. D'habitude, il ne remarquait rien car elle le faisait en même temps que lui, avant de couvrir le micro avec sa paume pour masquer sa respiration.

Le cœur palpitant, elle souleva le combiné et pianota sur le clavier, comme pour composer un numéro. Avant même de porter l'écouteur à son oreille, elle entendit Temple vociférer :

– Putain, Jennifer ! Je suis déjà en ligne !

– Q-quoi ? bredouilla-t-elle en prenant sa voix d'ivrogne. Désolée, je voulais juste téléphoner.

– Je m'en fous ! Raccroche !

Quelqu'un pouffa à l'autre bout de la ligne, et son sang se glaça lorsqu'elle reconnut la voix. Elton Phillips.

– Désolée, répéta-t-elle, avant de reposer sa main sur le micro et d'enfoncer brièvement le commutateur pour simuler un raccrochement.

– Quelle connasse, grommela Temple. Navré de cet incident, monsieur.

– Y'a pas de mal, répondit Phillips en riant. Je sais bien que vous ne l'avez pas épousée pour sa cervelle.

– Ça, c'est sûr.

– Cela étant, je commence à me demander si elle est la seule à dérailler. Vous-même avez commis plusieurs fautes dernièrement.

– Je sais. Et je vous présente toutes mes excuses, monsieur Phillips. Mais Sykes a repris la situation en main.

– Cela reste à prouver. Nous réceptionnons les Russes demain matin, et il incombe à M. Sykes de sécuriser la transaction. S'il n'a pas réglé ce problème de bibliothécaire d'ici là, je serai très mécontent.

Jennifer se souvint que le répondeur de la chambre possédait la fonction « enregistrement de conversation ». Le nez sur l'appareil, elle plissa les paupières, trouva la touche ad hoc et l'enclencha en espérant qu'elle n'émette aucun bruit compromettant.

– Il la cueillera lorsqu'elle quittera la bibliothèque à l'heure du déjeuner, ou quand elle rentrera en fin d'après-midi, reprit Temple. Et nous n'entendrons plus jamais parler d'elle. Quand Sykes est aux commandes, on n'a jamais d'ennuis.

— Vraiment ? Et comment expliquez-vous qu'on ait retrouvé le cadavre de Mitchell si vite ?

— C'est parce que Sykes l'a confié à deux collègues. Il devait rester au club pour rechercher la fille qui les avait surpris.

— Et cela ne constitue-t-il pas une faute, Nolan ?

— Si, monsieur.

— Alors il n'a plus le droit à l'erreur. Et vous non plus.

Phillips raccrocha brusquement, et Jennifer faillit faire de même. Le doigt sur le commutateur, elle attendit pendant plusieurs secondes que Temple ne raccroche à son tour. Mais qu'attendait-il donc ? Il devait guetter un clic suspect. Il se méfiait d'elle. Une goutte de sueur coula entre les sourcils de Jennifer.

Il raccrocha enfin, et elle put reposer le combiné. Puis elle s'empressa de défaire le loquet de la porte, fonça à la salle de bains, écrasa du dentifrice sur sa brosse, et se lava la bouche avec frénésie. Mais pourquoi paniquer ? Temple ne venait jamais dans cette chambre...

Le porte de la salle de bains s'ouvrit d'un coup.

— C'était quoi ce sketch ? éructa Temple.

Surprise, elle recracha le dentifrice sur la glace, puis perdit l'équilibre et atterrit à califourchon sur la lunette des WC.

Temple la toisa avec mépris.

— Non mais, regarde-toi ! À peine levée, tu picoles déjà !

D'une main tremblante, elle s'essuya la bouche, sans dire un mot. Qu'il la croie donc ivre ; c'était plus prudent.

– Qui voulais-tu appeler ? demanda-t-il.

Elle se tira une mèche de cheveux.

– J'ai besoin d'aller chez le coiffeur.

– Sans blague. La prochaine fois, assure-toi que je ne suis pas en ligne avant de composer ton numéro.

Il disparut sans attendre de réponse. Jennifer appuya le front contre le lavabo et s'efforça de ralentir sa pulsation cardiaque. Quand elle se sentit un peu mieux, elle se releva, se rinça la bouche et le visage, puis élimina les éclaboussures de dentifrice dans ses cheveux.

Elle avait oublié d'interrompre l'enregistrement du répondeur. Elle retourna dans la chambre, referma la porte que Temple avait laissé ouverte, et arrêta la petite cassette dorée. Qu'allait-elle en faire ? À qui la remettre ? Temple surnommait souvent Russo « mon superflic ». Autrement dit, il était persuadé, à tort ou à raison, que le nouveau chef de la police lui mangeait dans la main. Jennifer ne devait prendre aucun risque.

Elle attendit une demi-heure, puis descendit pour s'assurer du départ de son mari. Personne dans le bureau. Et la voiture avait quitté le garage. Enfin ! Elle s'assit derrière le secrétaire du séjour, ouvrit l'annuaire et composa le numéro de la bibliothèque.

– Bibliothèque municipale de Hillsboro.

Jennifer respira un grand coup.

– Pourrais-je parler à Daisy Minor, s'il vous plaît ? Je suis Jennifer Nolan.

– Désolée, mais Daisy ne viendra pas aujourd'hui.

C'est Kendra Owens à l'appareil. Je peux faire quelque chose pour vous ?

— Elle est chez elle ? Je pourrai la joindre là-bas ? demanda Jennifer d'une voix précipitée.

— Je ne sais pas, madame. Sa mère a évoqué une rage de dents. Elle est peut-être chez le dentiste.

— Lequel ? cria Jennifer, peu à peu lâchée par ses nerfs.

Elle était en manque d'alcool. Mais elle se devait d'être forte. Une vie en dépendait.

— Je l'ignore.

— Mais c'est de la plus haute importance ! Je vous en prie, réfléchissez ! Je dois la contacter au plus vite. Quelqu'un cherche à la tuer !

— Pardon ? Qu'avez-vous dit, madame ?

— Vous avez très bien entendu ! Il faut la retrouver ! J'ai surpris une conversation entre mon mari et un certain Sykes, qui va la tuer dans la journée si nous ne faisons rien !

— Vous devriez peut-être appeler la police.

Jennifer claqua le combiné sur son socle et se prit la tête à deux mains. Que faire, à présent ? Trouver le dentiste. Il n'y en avait pas des milliers à Hillsboro. Mais celui de Daisy était peut-être basé à Fort Payne ou à Scottsboro... Elle eut une meilleure idée : appeler Mme Minor pour lui demander les coordonnées du praticien.

Elle trouva le numéro, pianota sur le clavier, et laissa passer un nombre interminable de sonneries. Personne.

Elle se rabattit sur les pages jaunes, à la section « dentistes ». Il était trop tard pour renoncer. Elle n'avait plus le droit d'échouer.

21

— Seuls les chiens policiers sont admis dans les commissariats, répéta Jack pour la cinquième fois tandis qu'ils roulaient vers Huntsville.

Daisy se retourna vers Midas, qui dormait sur une couverture étendue sur la banquette arrière.

— Soit ils le laissent entrer, soit ils prendront ma déposition sur le parking, déclara-t-elle. Un type capable d'assassiner une femme n'hésitera pas à tuer un chien. Alors Midas ne me quittera pas d'une semelle.

Jack n'insista pas. Sa Daisy traversait une épreuve suffisamment difficile pour qu'il n'en rajoute pas.

— Tout va bien se passer, dit-il en lui prenant la main.

— Oh, je sais, dit-elle. Tu l'as promis à ma mère.

Ils arrivèrent au siège du shérif du comté de Madison à 9 h 30, un immeuble de deux étages, bâti dans le style années soixante, recouvert de crépi jaune sur sa moitié inférieure, de ciment caillouté au-dessus, et pourvu de longues vitres verticales.

Jack rangea son téléphone portable dans sa poche puis rassembla l'attirail du chien pendant que Daisy l'emmenait se soulager sur un coin de gazon. Elle lui passa la laisse, et il se débattit de toutes ses forces, empêchant Daisy d'avancer. Elle finit par le prendre dans ses bras.

À peine avaient-ils pénétré dans le bâtiment qu'une jeune femme les rappela à l'ordre :

– Vous ne pouvez introduire ce chien ici.

Daisy retourna aussitôt derrière les vitres automatiques, pendant que Jack se présentait à la jeune femme :

– Pourriez-vous prévenir l'inspecteur Morrison que le chef de la police de Hillsboro est ici avec le témoin ?

Puis il rejoignit Daisy à l'extérieur, pour ne pas la laisser seule un instant de plus. L'air était humide et suffocant. Ils attendirent l'inspecteur en silence.

– L'agent Sasnett m'a dit que vous aviez amené un chien... dit Morisson à son arrivée, avant d'écarquiller les yeux. Mais ce n'est pas un chien, c'est un microbe !

– Je suis Jack Russo, chef de la police de Hillsboro, et voici Daisy Minor, le témoin dont je vous ai parlé. Je vous préviens, elle n'ira nulle part sans la bestiole.

L'inspecteur Morrison serra les mains de Jack et de Daisy, puis leur demanda un petit instant. Cinq minutes plus tard, il les conduisait dans son bureau, avec le chien.

Midas juché sur ses genoux, Daisy raconta au policier ce qu'elle avait vu samedi soir. Oui, elle était certaine que l'homme coincé entre les deux autres était le Mitchell de la semaine précédente, et oui, c'était bien l'homme photographié dans le journal. Elle tâcha de se rappeler ce qu'il portait ce soir-là : un jean, des bottes, et une chemise à carreaux dans des tons clairs. Sans un mot, Morisson tendit alors à Jack les clichés pris lors de la découverte du corps. Les vêtements étaient pleins de terre, mais tels que Daisy les avaient décrits. Autrement dit, Mitchell ne s'était pas changé depuis que Daisy l'avait vu sortir, ce qui renforçait la thèse selon laquelle il avait été assassiné ce soir-là.

— Tu veux voir les photos ? proposa Jack à Daisy.

Elle secoua la tête.

Le portable de Jack sonna. Il le sortit de sa poche et lut le numéro inscrit sur le petit écran.

— C'est le commissariat, dit-il. Je le prends dans le couloir.

Il sortit du bureau et actionna l'appareil.

— Russo.

— Bonjour, chef. Ici Marvin.

Marvin assurait les permanences du matin. Il avait une voix hésitante, comme s'il doutait du bien-fondé de son appel.

— Kendra Owens vient de nous contacter, chef. Jennifer Nolan, la femme du maire, a téléphoné à la bibliothèque pour demander Mlle Minor, et quand Kendra lui a dit qu'elle était absente, Mme Nolan s'est mise dans tous ses états. Elle a déclaré avoir surpris une conversation entre le maire et un dénommé Sykes, selon laquelle Mlle Minor serait en danger de mort. D'après Mlle Owens, Mme Nolan semblait convaincue qu'ils voulaient tuer Mlle Minor. Étant donné le dispositif que vous venez de mettre en place autour d'Evelyn Minor et de sa sœur, j'ai pensé que vous aimeriez être informé.

— Et comment ! s'exclama Jack. Il semble que monsieur le maire ait de gros ennuis. Allez chercher

Mme Nolan et prenez sa déposition. Et empêchez-la de repartir. Retenez-la en salle d'interrogatoire.

— Mme Nolan ?

— Absolument. Elle aussi pourrait être menacée.

— Vous voulez dire que ce n'est pas un délire d'ivrogne ?

— Ce serait trop beau, Marvin. Envoyez dare-dare une voiture au domicile des Nolan.

— Bien, chef. Mais que devrons-nous faire quand cela reviendra aux oreilles du maire ?

Marvin n'avait pas dit « si », mais « quand ». Les petites villes ne souffraient pas le « si ».

— Essayez de gagner du temps. Rassurez-le. Faites comme si vous ne prêtiez pas attention aux élucubrations de sa femme. Je ne veux pas qu'il s'affole avant qu'elle ait témoigné.

— Entendu, chef.

— Et pas un mot sur les ondes. Seulement par téléphone, compris ?

Dans la foulée, Jack appela Todd pour l'aviser des derniers événements. Puis il ajouta :

— La déposition de Jennifer devrait nous permettre d'obtenir par voie légale les relevés dont nous parlions l'autre jour, si vous ne les avez pas encore. Elle nous a aussi donné un nom : Sykes.

— J'avoue qu'il ne me déplaira pas de respecter la loi, répondit Todd froidement.

— Nous n'avons plus le choix, désormais. Il s'agit d'appliquer le code de procédure à la lettre. Je ne veux pas que ces salauds s'en tirent pour vice de forme.

– Je vais regarder si l'on possède quoi que ce soit sur un dénommé Sykes, promit Todd.

Jack retrouva Daisy et Morisson et leur donna les nouvelles, que ce dernier prit en notes avant de déclarer :

– Votre maire n'est pas très regardant, pour fricoter avec un type comme Chad Mitchell. C'est un bon client : refus d'obtempérer, détention de stupéfiants, tentative de viol, vol avec effraction... On l'a arrêté l'an dernier pour viol, mais il y avait trop de failles dans l'accusation. Il n'a jamais purgé de grosses peines. Six mois par-ci, un an par-là...

– De quels stupéfiants s'agissait-il ? demanda Jack.

Morrison consulta le dossier.

– Surtout de la marijuana. Un peu de cocaïne, ainsi que du Rohypnol et du GHB.

– Mais que vient faire le maire dans cette histoire ? intervint Daisy. Il n'était pas à la sortie du Buffalo.

– Non, mais Sykes devait l'être, répondit Jack. Et il doit être lié à Nolan par je ne sais quelle sombre affaire.

– C'est l'explication la plus logique, dit Morrison en se levant du bureau. À présent, mademoiselle Minor, accepteriez-vous de parcourir nos archives photographiques ? C'est un exercice long et pénible, mais il peut permettre d'identifier un ou plusieurs coupables.

– J'accepte.

– Parfait. Dans ce cas, puisque le microbe dort sagement sur vos genoux, je vais apporter les clichés ici. Je reviens tout de suite.

Il réapparut quelques secondes plus tard, les bras chargés d'une épaisse pile de documents.

Daisy comprit l'ampleur de la tâche qui l'attendait. Il n'y avait pas cinquante ou cent clichés, mais plusieurs milliers, aussi sinistres les uns que les autres.

Elle ferma les yeux pour revoir les trois visages, puis se concentra sur le plus distinctif d'entre eux : allongé, anguleux, l'arcade sourcilière proéminente. Le type portait aussi de longs cheveux blonds et des favoris, mais rien n'indiquait qu'on les retrouverait sur la photo.

Elle prit son courage à deux mains et se plongea dans l'album de famille, sous le regard impassible de Morrison.

— Tu veux boire quelque chose ? demanda Jack au bout d'un quart d'heure. Café, soda ?

— Je vous déconseille le café, grimaça Morrison.

— Je n'ai besoin de rien, répondit Daisy.

— Dans ce cas, je vous abandonne un peu, dit l'inspecteur en se levant. Je vais passer quelques coups de fil dans le bureau d'un collègue, et je reviens dès que j'ai fini.

Les minutes passèrent, ponctuées par le bruissement caractéristique des pages que l'on tourne. Puis Midas se réveilla et Jack l'emmena dehors.

— C'est l'heure de manger, décréta Jack à son retour. Tu as mérité une pause.

— Je n'ai pas faim, répondit-elle distraitement.

— Moi, si.

Elle releva la tête, l'air amusé.

— Après le festin que je t'ai préparé ce matin, **tu es** déjà affamé ?

— Oui, et tu dois l'être encore davantage.

— J'arrive bientôt.

Elle reprit son examen, et deux pages plus loin planta son doigt sur un cliché.

– En voilà un !

Le prévenu avait les cheveux plus courts, mais ses favoris étaient aussi fournis et, surtout, l'arcade sourcilière ne laissait pas place au doute.

Jack jeta un œil sur la photo puis alla chercher Morrison.

Daisy se renversa sur son siège en bâillant. Elle en avait identifié un. Plus que deux à trouver.

Morrison reparut dans la minute et étudia la photo sélectionnée.

– George « Buddy » Lemmons, dit-il. Je connais l'animal. On l'a coffré pour cambriolage, vol à main armé, vandalisme... Encore une vieille connaissance. Mais il opère le plus souvent avec un complice. Merde, quel est son nom, déjà ?

L'inspecteur ouvrit la porte du bureau et lança dans le couloir :

– Eh, Banjo ! Tu te souviens de Buddy Lemmons ? Il a saccagé la maison d'un vieille dame sur Wallace Avenue l'an dernier. C'était quoi, le nom de son pote ?

– Calvin, je crois, répondit une voix sourde.

– Oui, c'est ça ! dit Morrison en rejoignant ses hôtes. Son nom de famille est Calvin.

Il entra aussitôt le nom dans son ordinateur.

– Nous y sommes. Dwight Calvin. Son portrait vous dit quelque chose ?

Daisy s'approcha de l'écran et reconnut aussitôt le visage scanné. Mince, brun, le nez épais...

– Oui, dit-elle.

– Vous êtes formelle ?

– Absolument. Il était bien là samedi soir. En revanche, je n'ai vu personne qui ressemble au troisième homme.

– Si seulement on connaissait le prénom de Sykes... En attendant, on va faire venir ces deux zozos, et m'est avis qu'ils vont parler. Buddy et Dwight ne sont pas du genre à porter le chapeau pour d'autres. Où pourrons-nous vous joindre, mademoiselle Minor ?

– Chez moi, dit-elle.

Mais Jack secoua la tête.

– Jusqu'à nouvel ordre, elle restera à l'hôtel, décréta-t-il. Et personne n'en connaîtra le lieu – même pas vous, Morrison. Si vous souhaitez la joindre, il faudra passer par mon portable.

22

– Et où comptes-tu me planquer ? demanda Daisy lorsqu'ils retrouvèrent la voiture. Souviens-toi que j'ai le chiot.

– Comme si j'allais l'oublier ! Tu sais, ça ne m'amuse pas de te cacher comme une fugitive, mais il n'y a pas d'autre solution. On trouvera bien un hôtel qui accepte les animaux.

– Mais je n'ai pas de vêtements de rechange. Ni le moindre livre.

– J'enverrai quelqu'un à ton domicile pour prendre le nécessaire.

– Envoie Todd, alors. Il saura que choisir.

– Mais puisque je te répète qu'il n'est pas gay !

– Peu importe. Il sait assortir les vêtements et remplir une petite trousse de maquillage.

– Mais Eva Fay...

– Non. Je veux Todd.

– D'accord, soupira Jack. Je l'appellerai.

Le premier hôtel qu'ils croisèrent s'avéra parfait. Bâti de fraîche date au bord de l'Interstate I-565, il possédait deux chambres destinées aux clients accompagnés d'animaux domestiques. Les deux étant libres, Jack choisit celle donnant sur l'arrière du bâtiment. Il réserva au nom de Julia Patrick, puis retrouva Daisy à la voiture.

Il transféra les affaires de Midas dans la chambre tandis que Daisy le promenait sur la pelouse. Mais la canicule eut vite raison de ses ardeurs joueuses, et il se laissa volontiers mener dans la chambre fraîche, où il s'endormit sur sa couverture après avoir bu un fond d'eau.

— Je reviens ce soir avec ta valise, dit Jack. J'appellerai pour t'indiquer l'heure de mon arrivée. N'ouvre à personne d'autre que moi, tu m'entends ?

— D'accord, dit-elle en s'asseyant sur le grand lit.

Elle aurait aimé qu'il reste, mais se garda de le lui dire. De même qu'elle s'abstint de lui demander combien de temps durerait sa réclusion ; nul ne le savait. Lemmons et Calvin pouvaient avoir quitté la ville, Sykes demeurait introuvable, et les propos de Jennifer étaient toujours sujets à caution. Autrement dit, rien n'était joué.

Jack prit place à côté d'elle.

— Ça va aller ? demanda-t-il en enveloppant ses épaules.

— Oui, je suis juste un peu remuée. Un homme s'est fait assassiner sous mes yeux et je n'ai rien remarqué.

— Parce que tu ne t'attendais pas à voir un meurtre. À moins d'une bagarre ou de coups de feu, la plupart des gens auraient réagi comme toi. C'est trop éloigné de ton quotidien. Tant mieux, d'ailleurs.

Elle n'avait pas mesuré combien le corps, la chaleur et l'odeur de Jack lui manquaient avant qu'il ne l'embrasse. Elle s'accrocha à son cou et lui susurra à l'oreille :

– Ne pars pas tout de suite.

– Mais il le faut, répondit-il sans pour autant relâcher son étreinte.

Au contraire, il pressa ses épaules et glissa une main sous son corsage avant de le déboutonner. Daisy ferma les yeux et se laissa porter par le désir, que le stress de la matinée ne fit qu'intensifier. Tant qu'elle serait dans les bras de Jack, les soucis se tiendraient à distance.

– OK, dit-il, tu m'as convaincu.

Il ôta son tee-shirt et se leva pour déboucler sa ceinture, puis quitta jean, caleçon, chaussettes et chaussures en une seule foulée avant de plonger sur le lit pour déshabiller fébrilement Daisy. Après l'avoir libérée de son corsage et de son soutien-gorge, il pressa ses lèvres sur son ventre tout en faisant coulisser la glissière de la jupe, qui atterrit en boule de l'autre coté de la pièce, puis il remonta jusqu'à ses seins, qui durcirent et s'empourprèrent sous ses baisers.

– C'est mon tour, dit-elle en le repoussant par les épaules.

Il roula docilement sur le dos et se cacha le visage avec son avant-bras.

– Tu vas me tuer, geignit-il.

– Chut !

Elle glissa le long de ses jambes, s'accouda sur le matelas, la tête au niveau de son bas-ventre et le caressa du bout de la langue avant de le torturer davantage.

237

Il se tordit de plaisir, gémissant, convulsant sur le matelas, les poings agrippés aux couvertures. Il ne tiendrait pas longtemps à ce rythme-là, alors elle le relâcha d'un coup et lança :

— Je crois que ça suffira.

Un rugissement titanesque surgit de la poitrine de Jack, qui se plia en deux, lui attrapa les poignets, la coucha sur le dos et lui sauta dessus. Elle rit pendant qu'il lui arrachait la culotte puis le rire se mua en râle lorsqu'il s'introduisit d'un coup franc. Elle noua ses jambes derrière sa taille, décidée à faire durer le plaisir, bien qu'elle sentît déjà poindre l'orgasme.

Mais à son tour, il stoppa net.

— Merde ! pesta-t-il. J'ai oublié la capote.

Malgré lui, il se remit à onduler du bassin.

— Tu veux que j'arrête ? articula-t-il d'une voix rauque, le front et les épaules en sueur.

La raison imposait le oui. Une vie entière de sagesse et de responsabilité imposait le oui. Mais un instinct irrépressible, animal, plaidait en sens inverse.

— Non, gémit-elle.

Il se remit aussitôt en mouvement, par saillies rapides, profondes et régulières, qui menèrent vite Daisy au faîte du plaisir, cambrée sous son poids, frémissante de la tête aux pieds. Elle cessa de respirer, cessa de réfléchir, ses jambes tétanisées bloquant les mouvements de son amant. Puis son corps se relâcha doucement, muscle après muscle, le souffle lui revint et elle laissa Jack se frayer à sa suite un chemin vers l'extase.

Pantelant, il se laissa retomber, écrasant Daisy sous son poids. Elle sentit le puissant thorax martelé par un cœur au galop, sa respiration furieuse ébranler son larynx. Puis chaque mouvement ralentit, et le temps sembla se fondre dans une douce immobilité.

Au bout d'un moment, il roula sur le flanc en grognant. Daisy fourra son visage dans son cou. Ils venaient peut-être de commettre une énorme bêtise. Mais elle avait seulement l'impression d'avoir obéi au destin.

— Bon sang, je vais être à la bourre, grommela Jack en s'étirant. Comment ai-je pu me laisser piéger si facilement ?

— Allons, ce ne sont pas cinq minutes qui vont changer grand-chose.

Il ouvrit un œil ahuri.

— Cinq minutes ? Tu plaisantes, j'espère. Ça fait bien vingt ans que j'ai dépassé le stade des cinq minutes.

Elle se retourna pour consulter le réveil de la table de chevet.

— Alors disons... une heure.

— Une heure ! Merde !

Il bondit hors du lit et fila à la salle de bains. Il passa aux toilettes, fit couler le lavabo puis revenant dans la chambre pour ramasser ses vêtements, se figea.

— Ton clebs a bouffé mon caleçon, articula-t-il.

Il souleva Midas, qui avait gardé des lambeaux de tissu entre les dents, et lui dit droit dans les yeux :

— Tu es une vraie plaie, mon pote.

Ce que Midas prit visiblement pour un compliment, puisqu'il se mit à lécher les joues de Jack en frétillant de la queue.

Jack rendit Midas à Daisy et s'habilla à toute vitesse. Dommage.

— J'y vais, dit-il. Souviens-toi : n'ouvre à personne...

— ... d'autre que toi. Je sais.

— J'ignore à quelle heure je reviendrai. Voici mon numéro de portable, celui du bureau, et les deux numéros de Todd. N'hésite pas à appeler s'il te faut quoi que soit.

— Tu as les coordonnées de Todd sur toi ? s'étonna Daisy.

— Je savais que tu dirais ça, dit-il, en secouant la tête.

— Alors ? Comment ça se fait ?

— Il va nous aider à trouver Sykes. Il a des contacts haut placés.

Jack embrassa Daisy, caressa Midas entre les oreilles et passa la porte. Les jambes en coton, Daisy se traîna jusqu'à la salle de bains, où Midas la regarda se doucher. Puis elle se rhabilla et frotta le milieu du drap avec un gant de toilette mouillé, pour épargner à la femme de ménage les traces de leurs ébats.

Songeant que c'était sa toute première tache du genre, elle pria pour que ce ne fût pas la dernière. Car elle comptait bien porter les enfants de Jack.

Restait à savoir si lui nourrissait les mêmes projets. Il n'avait pas bronché quand Evelyn s'était autoproclamée belle-mère. Mais cela ne prouvait rien. En homme consciencieux et méthodique, il était resté concentré sur la priorité du moment : protéger Daisy. Le reste pouvait attendre.

Elle commençait à regretter de lui avoir dit de continuer. Elle ne voulait pas qu'il l'épouse parce qu'elle était enceinte de lui, mais parce qu'il l'aimait. En théorie, elle avait dépassé sa période d'ovulation, mais Dame Nature avait plus d'un tour dans son sac quand elle voulait forcer le destin. Daisy devait désormais attendre ses règles pour être rassurée.

Elle s'assit sur le lit et promena son regard dans la pièce. C'était correct, pour un hôtel bon marché. Et plus spacieux que la moyenne – pour mieux accueillir les animaux domestiques, peut-être. La chambre contenait un fauteuil inclinable, une table ronde avec deux chaises, un téléviseur et un minibar coiffé d'une cafe-tière et de quatre tasses. La salle de bains était quel-conque, mais fonctionnelle.

Bon sang, comment allait-elle s'occuper ?

Elle commença par ouvrir le bottin pour chercher le nom de Sykes. Elle en trouva plusieurs. Elle pouvait les appeler les uns après les autres, mais pour dire quoi ? « Bonjour, monsieur Sykes. Daisy Minor à l'appareil. Alors comme ça, vous voulez me faire la peau ? » Idée stupide. En outre, pour peu qu'il soit muni d'un iden-tificateur d'appel, il pourrait immédiatement la loca-liser.

Elle reposa l'annuaire, alluma la télévision et pensa à ses proches. Dieu merci, ils étaient tous en sécurité, et maman avait promis d'appeler ce soir. Sauf qu'elle ignorait où se cachait sa fille. À moins que... Oui, Jack lui avait sûrement laissé son numéro de portable. Il pen-sait à tout.

Sauf à une chose, peut-être. Seigneur ! Lui aussi était en danger de mort, maintenant que la rumeur publique les disait – à raison – amants. Si Nolan apprenait ça, il

241

n'hésiterait pas à lancer Sykes aux trousses de Jack pour faire sortir Daisy de sa tanière.

Elle plongea sur le téléphone et appela Jack sur son portable.

— Russo, répondit-il à la première sonnerie.

— Fais bien attention, supplia-t-elle.

— Comment ?

— Si le maire découvre notre liaison, tu deviens une cible au même titre que ma famille.

— Oui, à un gros détail près.

— Lequel ?

— Je suis armé.

— Promets-moi d'être prudent, d'accord ?

— Promis. (Il se tut un instant.) Tout va bien, Daisy ?

— Je m'ennuie comme une rat mort. Dépêche-toi de m'apporter mes livres.

C'est un Jack préoccupé qui raccrocha. Daisy semblait déjà à bout, et ce n'était pas bon signe. Pourvu qu'elle ne craque pas...

Les nouvelles du front n'était pas plus encourageantes. Ses hommes n'avaient trouvé personne au domicile des Nolan, et nul ne savait où était passée Jennifer. Et si les propos de Kendra Owens étaient déjà parvenus au maire ?

23

Agacé, Nolan leva les yeux vers Nadine, qui se tenait dans l'embrasure de la porte d'un air emprunté. Il était sur les dents depuis son échange avec Elton Phillips et attendait fébrilement des nouvelles de Sykes. Ceux qui décevaient ou trahissaient Phillips finissaient à la morgue, et son vieil ami le maire n'y dérogerait pas. Au mieux, on le laisserait en vie à condition qu'il élimine Sykes – ce qui tiendrait de l'exploit car ce dernier était loin d'être bête.

Nadine restait plantée au seuil du bureau, attendant qu'on la questionne.

– Qu'y a-t-il, bon sang ?

Elle fut surprise par l'animosité de son patron, qui mettait un point d'honneur à se montrer affable en toutes circonstances. Mais son image était le cadet de ses soucis aujourd'hui. Nadine joignit ses mains et se lança :

– Vous savez, monsieur, que je n'aime pas me mêler de ce qui ne me regarde pas, et que j'évite de juger la vie des autres. Mais je pense que vous êtes en droit de savoir ce que Mme Nolan a fait aujourd'hui.

Pitié, pas ça...

– Oui, Jennifer a des problèmes, dit-il en soupirant.

C'était son leitmotiv pour s'attirer la compassion d'autrui.

– Je le sais, monsieur.

– Et qu'a-t-elle fait cette fois ? demanda-t-il, exaspéré de devoir lui arracher les mots de la bouche.

– Elle a appelé la bibliothèque pour dire à Kendra Owens que vous vouliez faire assassiner Daisy Minor.

– Quoi ? s'étrangla Nolan en s'agrippant au rebord du bureau.

Il avait eu un mauvais pressentiment ce matin, qui l'avait amené à vérifié ce que fabriquait Jennifer. Cette garce avait écouté sa conversation depuis le téléphone de la chambre ! M. Phillips le tuerait dans la seconde s'il savait ça.

– Kendra ne l'a pas prise au sérieux, vous vous en doutez, mais elle craignait que Mme Nolan ne commette... comment dirais-je... une bêtise. Aussi a-t-elle jugé préférable d'avertir le commissariat.

– La chienne ! s'exclama Nolan, ignorant lui-même s'il visait Kendra ou son épouse.

Interloquée, Nadine eut un mouvement de recul.

– Je préférais vous prévenir, dit-elle sèchement avant de refermer la porte séparant les deux bureaux.

D'une main peu assurée, Nolan décrocha sa ligne privée et composa le numéro de Sykes. Personne. Il devait être occupé à guetter Daisy à la sortie de la bibliothèque. Il fallait à tout prix le joindre pour suspendre l'opération. Après les exploits de sa femme, Temple serait immédiatement soupçonné s'il arrivait quoi que soit à Daisy.

Il fallait aussi régler le problème Jennifer. Vu son alcoolisme notoire, il serait facile d'orchestrer un « accident ». Un coup sur le crâne, sa voiture qui tomberait dans le fleuve, et le tour serait joué. Mais pas tout de suite. Rien ne devait compromettre la livraison des Russes.

Dans l'immédiat, Temple devait d'abord recoller les morceaux avec Nadine. Il ouvrit la porte, afficha son plus beau sourire et déclara :

— Je suis désolé, Nadine. J'ai eu tort de me montrer grossier devant vous. Jennifer et moi nous sommes disputés ce matin, et ça m'a travaillé toute la journée. Alors quand vous m'avez appris ce qu'elle venait de faire...

Il conclut sa phrase d'un long soupir.

Le visage de la secrétaire s'adoucit un peu.

— Ne vous en faites pas. Je comprends.

Il se frotta le front et demanda, l'air toujours aussi affligé :

— Daisy n'a pas trop mal réagi quand Kendra l'a informée du coup de fil ?

— Daisy ne travaille pas aujourd'hui. Sa mère a appelé pour signaler qu'elle souffrait d'une rage de dents. Personnellement, j'ai ma petite idée sur la question, mais ça ne regarde que moi.

Elle fixa Nolan d'un air malicieux, impatiente qu'il la fasse parler.

— Que voulez-vous dire ? demanda-t-il.

— Eh bien, je ne sais où elle se trouve en ce moment,

mais je doute fort qu'elle soit retenue par une rage de dents.

— Pourquoi croyez-vous ça ?

— Parce que j'ai eu le commissariat au téléphone avant le déjeuner, et Eva Fay m'a appris que le chef de la police était également absent.

Nolan fronça les sourcils.

— Mais quel rapport avec Daisy ?

— Comment ça, quel rapport ? Ne me dites pas que vous n'êtes pas au courant ! Ils sortent ensemble, voyons.

Elle était visiblement très fière d'être la première à le lui annoncer.

— Quoi ? Jack Russo et Daisy Minor sortent ensemble ? balbutia-t-il.

La terre se dérobait sous ses pieds.

— Barbara Clud leur a vendu une grande boîte de... comment dirais-je... d'articles intimes. Et ils s'affichent ensemble à la messe.

Nolan déglutit.

— Je vois, murmura Temple avant de se retrancher dans son bureau.

Adossé à la porte, le souffle court, il tenta de synthétiser les terribles conclusions qui jaillissaient dans son esprit. Russo lui avait menti en feignant de ne pas connaître Daisy Minor lorsqu'il avait identifié la plaque. Mais pourquoi ? Il n'avait aucune raison de cacher la vérité, sauf si... Sauf s'il savait qu'elle ne s'était pas garée dans un couloir de pompiers, pour la bonne raison qu'il était avec elle à ce moment-là. Intrigué, il aurait joué les candides avec l'intention de mener sa petite enquête en sous-main. Il ne fallait pas s'attendre à moins de la part de ce blanc-bec.

Il s'agissait désormais de limiter la casse. Retenir Sykes, écarter Jennifer, et protéger la marchandise.

Le regard embué, Jennifer roulait sans but, n'osant faire demi-tour de peur que Temple la punisse. Elle se demandait encore que faire de la petite cassette rangée dans son sac à main. La solution la plus sûre eût consisté à faire un esclandre au commissariat en exigeant que l'on diffuse la bande sur-le-champ et devant tout le monde. Ainsi, aucun flic véreux ne pourrait étouffer l'affaire ou classer l'incident sans suite. Mais elle se savait incapable d'un tel coup d'éclat.

Elle avait la gorge sèche et tremblait de tous ses membres. Jamais son corps n'avait eu autant besoin d'alcool. Mais aujourd'hui, elle s'interdisait de céder à sa dépendance. Un verre en entraînerait un deuxième, puis un troisième, et elle ne serait plus bonne à rien. Or la sobriété conditionnait sa survie.

Elle prit machinalement le chemin de Huntsville, celui qu'elle empruntait pour faire les boutiques ou se rendre chez le coiffeur. La route était agréable et familière. Elle s'arrêta à deux reprises pour vomir sur le bas-côté, bien qu'elle n'ait rien bu ni rien avalé de la journée. Un simple effet du manque.

Les deux mains cramponnées au volant, elle devait lutter pour rester dans sa file. La ligne pointillée semblait osciller de manière erratique, et Jennifer enchaînait les embardées. Une grosse voiture blanche surgit dans son rétroviseur et la doubla en klaxonnant.

– Je suis désolée, je suis désolée, bredouilla-t-elle.

Elle faisait de son mieux, mais cela n'avait jamais suffi. Ni pour Temple, ni pour les enfants, ni pour elle-même...

Les bruits de klaxon continuèrent, au point qu'elle vérifia si elle n'actionnait pas son propre avertisseur par mégarde. Mais non, ils provenaient bien du véhicule qui s'était rabattu devant elle. Que lui voulait-on, bon sang ?

Elle vit la main du conducteur émerger de l'habitacle et poser un gyrophare bleu sur le toit, puis le véhicule ralentit. Dans un geste de panique, elle écrasa la pédale de frein, bloqua ses roues et finit sa course dans le fossé, se cognant le visage contre quelque chose de dur.

En ouvrant les yeux, elle vit de la fumée. Persuadée qu'elle allait brûler vive, elle se débattit avec la ceinture de sécurité. Puis la portière s'ouvrit d'un coup et un grand gaillard se pencha sur elle. Russo.

– Tout va bien, dit-il calmement. Ce n'est pas de la fumée, mais juste de la poussière soulevée par l'airbag.

Jennifer éclata en sanglots, partagée entre désespoir et délivrance. Les dés étaient jetés. Soit Russo était de mèche avec Temple, et tout était fichu, soit...

– Vous n'êtes pas blessée ? demanda-t-il en l'examinant sommairement. Mis à part votre nez qui saigne.

En baissant les yeux, elle s'aperçut que son corsage blanc était moucheté de rouge.

– C'est encore l'airbag, expliqua Russo tout en sortant un carré de gaze d'une mallette de premiers secours. Tenez, appliquez ceci sous votre nez pendant une minute.

Elle s'exécuta.

— Vous avez appelé la bibliothèque, poursuivit-il sur un ton bienveillant, pour rapporter des menaces proférées par votre mari. Si vous en êtes d'accord, j'aimerais prendre votre déposition à ce sujet.

Elle se laissa tomber contre l'appuie-tête.

— Vous travaillez avec lui ? demanda-t-elle d'une voix résignée.

— Oh, non, madame. Vous l'ignorez peut-être, mais Daisy Minor est une personne chère à mon cœur. Et je prends les menaces à son encontre avec le plus grand sérieux.

Il mentait peut-être. Mais elle en doutait. Elle connaissait trop bien la cruauté des hommes pour voir que Russo n'essayait pas de l'intimider.

Sa sortie de route avait dispersé le contenu de son sac à main. Elle détacha sa ceinture, se coucha sur la banquette et palpa le plancher jusqu'à ce qu'elle retrouve le microcassette dorée.

— Je n'ai pas seulement entendu ces menaces, annonça-t-elle. Je les ai enregistrées.

24

Mme Nolan était agitée, mais ses propos cohérents. Pour ne rien laisser au hasard, Jack la soumit à un alcootest, qui se révéla négatif. Un agent prit sa déposition, puis ils se réunirent à plusieurs autour d'un magnétophone. La voix du maire avait des inflexions métalliques, mais était tout à fait reconnaissable.

« *Il la cueillera lorsqu'elle quittera la bibliothèque à l'heure du déjeuner, ou quand elle rentrera en fin d'après-midi. Et nous n'entendrons plus jamais parler d'elle. Quand Sykes est aux commandes, on n'a jamais d'ennuis.* »

Lui répondait alors un homme que Mme Nolan identifia comme Elton Phillips, un riche homme d'affaires de Scottsboro :

« *Vraiment ? Et comment expliquez-vous qu'on ait retrouvé le cadavre de Mitchell si vite ?*

— C'est parce que Sykes l'a confié à deux collègues. Il devait rester au club pour rechercher la fille qui les avait surpris.

— Et cela ne constitue-t-il pas une faute, Nolan ?

— Si, monsieur.

— Alors, il n'a plus le droit à l'erreur. Vous non plus. »

Les deux types n'avaient pas prononcé le nom de Daisy, mais ils avaient évoqué la bibliothèque ; la déposition de Jennifer concernant la partie non enregistrée de l'entretien ferait le reste. En revanche, ils avaient mentionné Mitchell, et le fait qu'on les ait surpris sur le parking du club. Ajoutez à cela le témoignage de Daisy et son identification des deux meurtriers de Mitchell, et le maire était dans de beaux draps.

Jack put mesurer la colère de ses subordonnés. Du lieutenant à la secrétaire, tous partageaient le même sentiment de révolte, se sentaient solidaires de leur chef et de sa petite amie, que la plupart connaissaient depuis des années.

— Amenons le maire pour un interrogatoire, dit Jack en contenant sa propre rage. Et appelez tous nos collègues de Scottsboro pour qu'ils fassent de même avec M. Phillips.

Restait à trouver Sykes, ce qui ne serait pas une mince affaire.

Sykes enrageait. Cette maudite Minor était introuvable. Elle n'était pas venue au travail ni réapparue chez elle. Et quand un individu s'écarte autant de sa routine, ce n'est jamais anodin.

Il finit par appeler la bibliothèque d'une cabine téléphonique pour demander Mlle Minor, mais la femme qui lui répondit ne lui apprit rien de nouveau. Il décela toutefois un soupçon de méfiance dans sa voix, ce qui laissait présager le pire.

Il essaya la ligne confidentielle du maire, sans succès. Étrange. Nolan aurait sans doute prévu de passer la journée à son bureau, pour être lavé de tout soupçon après la disparition de la bibliothécaire.

Il tenta le portable, en vain, puis le domicile de Nolan. L'intéressé décrocha dès la seconde sonnerie.

— La petite Minor ne bosse pas aujourd'hui, dit Sykes. Vous parlez d'une journée !

— Sykes ! Dieu merci !

Le maire semblait au bord de la crise de nerfs, ce qui était très, très mauvais signe.

— Écoute, on est dans la merde, déclara Nolan.

— C'est-à-dire ?

— Ce matin, cette chienne de Jennifer a écouté ma conversation avec M. Phillips, puis a cherché à joindre Daisy à la bibliothèque. Mais elle n'était pas là. Alors elle a raconté à Kendra Owens, sa collègue, que je voulais faire assassiner Daisy Minor.

Nom de Dieu. Sykes se pinça l'arête nasale. Cet imbécile de Nolan ne pouvait-il pas prendre un minimum de précautions quand il téléphonait ?

— Et qu'a fait Kendra Owens ? demanda-t-il, bien qu'il devinât aisément la réponse.

— Elle a appelé les flics. À mon avis, ils attribueront les propos de Jennifer à l'alcool. Mais ils se seraient posé des questions si Daisy avait disparu aujourd'hui. Une dernière chose...

— Oui ? dit Sykes entre ses dents.

– Russo et Daisy sortent ensemble.

– Et en quoi ça me concerne ?

– C'est à lui que j'ai demandé de rechercher le numéro de plaque. Je lui ai dit que j'avais vu la bagnole dans un couloir de pompiers. Mais il a compris que je mentais, car il savait que c'était impossible. Et il a prétendu ne pas la connaître lorsqu'il m'a révélé son nom.

Et un chef de police soupçonneux, à présent ! C'était vraiment le bouquet.

– Je suis rentré à la maison pour régler son compte à Jennifer, mais la garce s'est tirée, reprit Nolan.

– Tant mieux. Ce serait louche si elle mourait aujourd'hui.

– Les alcoolos se foutent en l'air facilement, tu sais.

– Peut-être, mais je vous demande d'attendre.

Nolan poursuivit sur son idée, indifférent aux remarques de Sykes :

– Je devrais peut-être lui offrir une nouvelle visite chez M. Phillips. Je suis sûr qu'il serait ravi.

Il lâcha un petit rire. Consterné, Sykes ferma les yeux.

– Il y a de fortes chances pour que Jennifer soit surveillée par les flics, dit-il. Et je doute que M. Phillips apprécie que vous les meniez droit à lui.

– Tu as raison, Sykes. Et puis, je dois d'abord la retrouver. Elle m'a parlé d'une visite chez le coiffeur. Elle est peut-être partie à Huntsville juste après son coup de fil de cinglée. Ce serait bien son genre.

Ou la police l'aurait amenée pour prendre sa déposition, songea Sykes. Les flics n'allaient pas expédier cette affaire par-dessous la jambe. Pas quand la fiancée d'un des leurs est concernée. La prochaine étape serait sûrement l'interpellation du maire.

Sykes était très déçu par Nolan. Le monstre au sang-froid perdait ses moyens face au stress. Comment réagirait-il dans une salle d'interrogatoire ? Hésiterait-il longtemps avant de dénoncer ses complices ? Il valait mieux ne pas lui en donner l'occasion.

— Il est comment, ce Russo ? demanda Sykes.

— C'est un as. Il a fait partie des unités d'élite de Chicago et de New York. J'ai eu de la chance de l'accueillir dans une si petite ville.

De la chance ? Tu parles. Ce flic de choc ne lâchera jamais l'affaire. Heureusement, le meurtre et la découverte de Mitchell s'étaient produits en dehors de sa juridiction. Oui, mais...

— Avez-vous mentionné le nom de Mitchell lors de votre échange avec M. Phillips ?

— Oui, c'était même la raison de son appel. Il déplorait que le corps ait été retrouvé si vite, et je lui ai expliqué que tu n'avais pu t'en occuper toi-même.

Autrement dit, ils avaient également prononcé son nom ! déduisit Sykes en se tapant la main contre le front.

— Écoutez-moi, reprit-il. Restez où vous êtes, ne touchez à rien, et faites comme si de rien n'était. Pour l'instant, ils n'ont aucun élément contre nous. Aucun crime ou tentative de meurtre n'a été constaté. Russo se demande peut-être pourquoi vous lui avez menti, mais peu importe. Trouvez une explication toute simple. Vous avez mal noté le numéro, par exemple.

— Bonne idée, ça.

– Et s'ils vous interrogent au sujet du coup de fil de votre femme, dites que vous n'êtes pas au courant. Elle a bu, ce matin ?

– Elle boit tout le temps.

– Vous l'avez vu boire ?

– Non, mais elle était dans un sale état.

Connaissant désormais la finesse d'analyse de Nolan, Sykes était prêt à parier que Jennifer n'avait rien ingurgité de la matinée.

– Tu penses que Russo va me cuisiner ? demanda le maire.

Quelle question...

– Probablement. Mais ne paniquez pas. Faites comme on a dit.

– Dois-je en informer M. Phillips ?

– J'éviterais, à votre place. Laissons cette affaire retomber tranquillement, et il n'en saura jamais rien. L'essentiel est que la cargaison arrive à bon port.

– Mon Dieu, la cargaison ! J'avais complètement oublié.

– Ce n'est pas grave, je m'en suis occupé, répondit Sykes avant de raccrocher.

C'est ce qu'on appelait un plantage sur toute la ligne. Entre ce que Daisy Minor avait vu, ce que Jack Russo avait flairé, et ce que Jennifer Nolan avait entendu, reconstituer le puzzle serait un jeu d'enfant, et une question d'heures, voire de minutes.

Sykes évalua les options qui s'offraient à lui. Il pouvait prendre le large, grâce à son identité de secours. Mais il préférait garder celle-ci pour les cas de force majeure. Il pouvait aussi se rendre et écoper, en la jouant finement, d'un maximum d'un an de prison. Il ne s'était pas sali les mains ; on pouvait l'accuser d'association de malfaiteurs, mais pas de crime. En outre, il possédait une arme précieuse : des renseignements. Cela valait de l'or devant un procureur.

Il n'avait aucune confiance en Temple Nolan. Tôt ou tard, le maire balancerait tous ses amis et la tête de Glenn Sykes serait mise à prix. Sauf s'il prenait les devants...

Sans se départir de son flegme, Sykes rallia le commissariat de Hillsboro. À en juger par le nombre de voitures alignées sur le parking, c'était le branle-bas de combat. Il franchit les portes automatiques et vit plusieurs grappes d'agents conversant à voix basse. Il se rendit à l'accueil.

— J'aimerais parler au chef Russo, s'il vous plaît.

— Il est occupé. Que puis-je faire pour vous ?

Tournant machinalement ses yeux sur sa gauche, il aperçut au fond d'un couloir une très belle femme sirotant un café, et reconnut aussitôt Jennifer Nolan. N'en déplaise à son crétin de mari, elle paraissait tout à fait sobre.

Revenant à l'officier de l'accueil, il déclara :

— Je m'appelle Glenn Sykes. Je pense que vous êtes tous à ma recherche.

25

Au hit-parade des phénomènes improbables, Jack aurait placé la reddition de Glenn Sykes en deuxième place, juste après les sentiments que lui inspiraient miss Daisy.

Sykes était de taille moyenne, large d'épaules, et d'aspect soigné : cheveux couleur sable, courts et impeccables, joues rasées de près, ongles nets et réguliers, habits repassés. En somme, il n'avait rien d'un tueur à gages. Mais on trouvait des criminels de toutes les formes, de toutes les tailles et de toutes les couleurs, vêtus de guenilles ou parés de diamants. Les doués portaient des diamants. Et les plus doués ressemblaient à cet homme.

Sykes était aussi un modèle de calme et de détermination.

– J'aimerais passer un marché avec vous, dit-il d'entrée de jeu. Je peux vous donner le maire Nolan, l'homme qui a poignardé Chad Mitchell, un certain Elton Phillips, et bien d'autres encore. Faites venir le district attorney et je vous dirai tout.

— Nous savons qui a poignardé Mitchell, répondit Jack en se renversant dans son fauteuil. Buddy Lemmons.

Sykes ne cilla pas.

— Mlle Minor l'a identifié, n'est-ce pas ?

— Elle a mémorisé vos trois visages.

— Alors, vous l'avez mise en lieu sûr.

Jack répondit par un silence.

— Il y a bien plus que l'élimination d'un pauvre cafard, poursuivit Sykes, en s'étirant à son tour sur sa chaise.

— Je me demandais justement en quoi le maire était impliqué.

— Le marché du sexe rapporte gros, monsieur Russo. Alors, vous appelez le proc, oui ou non ? Le temps presse. Il se prépare un gros coup pour ce soir.

— Les poupées russes ? demanda Jack, dont les déclarations de Jennifer résonnaient encore dans son crâne.

Sykes manifesta sa surprise par un petit sifflement.

— Il semble que vous en sachiez plus que je ne le pensais. Mais vous ne savez ni où ni quand.

— J'imagine que M. Nolan pourra nous le dire.

— Ça, vous n'aurez aucun mal à le faire parler.

— Alors, pourquoi le district attorney voudrait-il s'entendre avec vous ?

— Parce que la confiance est une denrée rare, et que j'en possède très peu.

Jack tenta de décrypter cette phrase :

— Vous avez des preuves contre chacun d'entre eux, c'est ça ? Vous avez préparé vos petites fiches.

— Exactement, dit Sykes en concédant un sourire. Je

suis d'un naturel prévoyant, et j'aime assurer mes arrières au cas où les choses se gâteraient. Et elles finissent toujours par se gâter. Le tout est de savoir se retirer à temps.

Convaincu par ces arguments, Jack s'éclipsa pour joindre le district attorney à Scottsboro. Il avait l'impression de pactiser avec le diable, mais c'était parfois nécessaire.

Puis il appela l'hôtel de Daisy pour lui annoncer qu'elle était hors de danger. La réceptionniste bascula son appel vers la chambre, et il attendit qu'elle décroche. Une sonnerie. Deux, trois, quatre, cinq. Ce n'était pas normal. La réceptionniste s'était peut-être trompée en effectuant le transfert. Il raccrocha, recomposa le numéro de l'hôtel et demanda la même chambre.

Première sonnerie, deuxième sonnerie...

Mais que faisait-elle, bon sang ?

Troisième sonnerie...

S'était-elle rendue au distributeur de confiseries du couloir ?

Quatrième sonnerie...

Sykes était ici. Daisy n'avait donc rien à craindre.

Cinquième sonnerie...

Elle ne serait pas sortie sans raison, tout de même.

Sixième sonnerie...

À moins qu'elle n'ait échafaudé un plan à la noix pour capturer Sykes et Nolan...

Septième sonnerie...

De toute évidence, elle était saine et sauve, et pourtant...

Huitième sonnerie...

Il ne pourrait vivre sans elle, elle était tout ce qu'il...

— Allô ? dit une petite voix essoufflée.

Le soulagement de Jack fut presque aussi violent que sa montée d'adrénaline.

— Qu'est-ce que tu fabriquais, bon sang ? grogna-t-il.

— Je sortais Midas, quand la laisse m'a glissé des mains, et j'ai dû le poursuivre à travers le parking.

— J'ai cru que tu étais partie.

— Partie ? Tu veux dire : partie pour de bon ? Mais pourquoi aurais-je fait une chose pareille ?

— Je craignais que tu n'aies eu une illumination et que tu te sois...

— Jetée dans la gueule du loup comme une idiote ? Tu me vexes, Jack. On n'est pas à Hollywood. Je suis en sécurité ici, et je n'ai aucune raison d'en bouger.

— D'accord, excuse-moi.

— Excuses acceptées, chantonna-t-elle.

— J'ai de bonnes nouvelles, chérie. Sykes s'est présenté de lui-même au commissariat. Il souhaite conclure un arrangement avec le procureur.

— Tu veux dire que tout est fini ?

— Presque. Il reste à finir le ménage. Morisson n'a toujours pas localisé Lemmons et Calvin, mais ça ne saurait tarder. Jennifer Nolan a enregistré une conversation où son mari parle de toi, et Sykes est prêt à vendre tout le monde. Je ne sais pas à quelle heure je passerai te prendre.

— Tu veux dire que je n'aurai pas à dormir ici ?

— Tout dépend à quelle heure je termine.

— Dans ce cas, je repartirai avec Todd quand il m'apportera mes affaires.

— Euh, oui, parfait... bredouilla Jack tout en regardant sa montre.

— Tu as oublié de l'appeler, n'est-ce pas ?

— Oui, j'avoue.

— Allez, étant donné les circonstances, je te pardonne. Ma mère a appelé ?

— Non, pas encore.

— Quand elle le fera, note son numéro, et dis-lui que je la rappelle en rentrant. Maintenant, si tu pouvais joindre Todd...

— Tout de suite, mon cœur.

Il s'exécuta aussitôt. Par chance, Todd était toujours à sa boutique. Jack lui raconta le dénouement de l'affaire et lui demanda de ramener Daisy.

— Sans problème, Jack. Mais au sujet de Sykes, il a peut-être des infos sur les types que je recherche, ou sur leurs dealers.

— Probable. Tu veux le questionner ?

— Je n'en ai pas le droit, Jack.

— Écoute, dans l'immédiat je vais dire au procureur de l'interroger sur ces histoires de drogue. Et si tu le souhaites, je pourrai t'arranger un petit tête-à-tête officieux juste après.

— Très bien. On avisera à ce moment-là.

— Entendu. N'oublie pas de prendre Daisy. Au fait, elle est accompagnée de son chien.

— On dirait que tu essaies de me mettre en garde.

— Tu ne connais pas Midas ?

— Non. C'est un pitbull géant ou quoi ?

— Presque. C'est un golden retriever de six semaines. Une adorable petite boule de poils.

— Et alors ?

— Et alors ne t'avise pas de lui tourner le dos.

Jack raccrocha et regagna la pièce où un officier prenait la déposition de Sykes. Deux autres hommes étaient en route vers le domicile du maire. L'enquête était quasiment bouclée, alors que ce matin encore ils nageaient en plein brouillard. Ils devaient beaucoup à la chance – qui avait placé Mme Nolan et sa conduite périlleuse sur la même route que Jack – mais davantage encore à la bêtise humaine. Celle de Sykes, qui s'était entouré d'incapables, et celle de monsieur le maire.

C'est un district attorney très contrarié qui se présenta au commissariat. Il prit Jack à part pour lui dire ceci :

— Elton Phillips est une grande figure de notre ville. J'ose espérer que vous avez de solides arguments pour l'interpeller.

— Nous avons l'enregistrement d'une conversation téléphonique, dont la teneur est corroborée par la déposition de M. Sykes.

— Cet enregistrement a-t-il été obtenu de manière légale ?

— Mme Nolan a utilisé le répondeur de sa chambre.

Le procureur réfléchit un instant. Il s'agissait du poste personnel de Mme Nolan, et le maire en connaissait forcément l'existence. Il savait donc à quoi il s'exposait en parlant sur cette ligne.

— Oui, ce devrait être recevable, conclut-il. Voyons maintenant ce que M. Sykes a à nous dire.

Quand Temple Nolan vit la voiture banalisée s'arrêter dans l'allée, il prit une profonde inspiration et s'efforça de rester calme. Ce n'était qu'un mauvais moment à passer. Sykes disait vrai : on ne pouvait lui reprocher aucun crime, et personne ne croirait Jennifer.

La sonnette retentit. Il ôta rapidement sa cravate, retroussa ses manches et prit le journal *Huntsville* pour se donner un air de Monsieur-Tout-le-monde rentrant du bureau.

En ouvrant la porte, il feignit la surprise. Ils étaient deux. Un inspecteur et un simple agent.

– Bonjour Richard ! dit-il à l'inspecteur. Quoi de neuf ?

– Nous aimerions vous poser quelques questions suite aux déclarations qu'a faites votre épouse ce matin, répondit le dénommé Richard sans chaleur aucune.

– Pas de problème. Entrez donc. Nadine m'a parlé d'un coup de fil à la bibliothèque, mais je pensais que personne ne le prendrait au sérieux. Jennifer a quelques problèmes avec l'alcool, vous savez.

– Oui, monsieur, dit l'inspecteur tout en remarquant le journal et les manches retroussées. Vous avez prévu de passer une petite soirée tranquille ?

– La journée a été dure. J'ai apporté un peu de travail, auquel je m'attellerai après le dîner. Quelque chose ne va pas ?

Richard Hill regarda sa montre.

– Je suis juste surpris que vous ayez oublié le conseil municipal de ce soir. La réunion a commencé depuis cinq minutes.

Le maire se figea. En neuf ans d'exercice, il n'avait pas manqué un seul conseil. Et Richard le savait fort bien.

– Je n'ai pas oublié, dit Nolan. Mais je préférais rester auprès de Jennifer.

– Mme Nolan est au commissariat, rétorqua Hill. Si vous voulez nous suivre, nous allons vous y conduire.

– Jennifer est au poste ? s'exclama le maire. Elle va bien, au moins ?

– Mme Nolan va très bien, monsieur.

– Ah, quel soulagement ! C'est qu'elle était dans un sale état ce matin, si vous voyez ce que je veux dire.

– Veuillez nous suivre, s'il vous plaît.

– Bien sûr. Je prends ma voiture et on se retrouve là-bas.

– Non, monsieur. Je préfère que vous montiez avec nous.

Nolan recula d'un pas, mais Hill et son collègue lui agrippèrent les bras et lui menottèrent prestement les poignets.

– Retirez ça tout de suite ! tonna Nolan. Vous vous prenez pour qui ? Je ne suis pas un criminel, et je refuse d'être traité comme tel.

– Nous appliquons la procédure, monsieur, pour votre sécurité comme pour la nôtre. On vous détachera au commissariat.

Sur ces mots, ils le poussèrent vers la porte puis jusqu'à la voiture.

– Vous êtes tous les deux virés ! gronda-t-il, rouge de colère. Votre attitude est inqualifiable !

Ils l'installèrent sur la banquette arrière et claquèrent la portière.

Quand ils arrivèrent au commissariat, Nolan fut frappé par l'encombrement inhabituel du parking. Il se passait vraiment quelque chose d'étrange. Puis il vit trois membres du conseil municipal rassemblés devant les portes vitrées, et son ventre se noua.

Sans la moindre marque de sympathie, les trois hommes le regardèrent s'extraire du véhicule, menottes aux poignets, et précéder les deux agents en direction du bâtiment.

– Retirez-moi ces trucs ! ordonna-t-il de plus belle. Les élus nous regardent.

– Nous vous détacherons à l'intérieur.

Comme il avançait sur le parking, son regard s'arrêta sur une Dodge grise immatriculée dans le comté de Madison et garée sur un emplacement réservé aux voitures de patrouille.

Sykes possédait une Dodge grise. Et vivait en périphérie de Huntsville, dans le comté de Madison...

Que faisait-il ici ? Il ne serait pas venu par ses propres moyens s'il avait été arrêté. Et puis, comment l'auraient-ils trouvé ? Il n'avait aucune raison de venir ici, sauf si...

– Sykes ! hurla-t-il en repoussant Hill d'un coup d'épaule pour foncer vers le bâtiment. Enfoiré ! Fils de pute ! Tu vas crever, Sykes !

L'agent le rattrapa en quelques foulées et le plaqua à terre. Ne pouvant amortir sa chute des mains, Nolan s'érafla le visage et se brisa le nez sur le goudron. Les policiers le relevèrent et le poussèrent à l'intérieur tandis que, la bouche pleine de sang, Nolan gémissait un dernier « Sykes ! » sous le regard écœuré de ses trois colistiers. Égal à lui-même, il chercha une phrase qui puisse les rassurer, une de ces formules magiques dont il avait le secret, mais aucune ne lui vint à l'esprit.

26

Peu avant 3 heures du matin, un commando spécial composé des hommes de Hillsboro, des comtés de Jackson et de Madison, du FBI et de l'Immigration, attendait, tapi dans les bosquets, la livraison des « poupées russes ». Ils avaient laissé leurs véhicules au bord d'une route secondaire et marché plus d'un kilomètre à travers champs pour atteindre la caravane.

Glenn Sykes était de la partie, venu jouer son propre rôle. Sans lui, le livreur prendrait peur, or il était armé, et les filles qu'il transportait avait suffisamment enduré pour qu'on leur épargne les balles perdues.

Jack était couché sous un grand pin, camouflé dans ses vêtements noirs. Bien que son grade l'eût dispensé de participer au comité d'accueil, tous estimaient que son expérience des unités d'élite serait appréciable.

D'après Sykes, Phillips tenait tellement à ses filles qu'il avait exceptionnellement dépêché un deuxième homme dans le pick-up. On jouerait donc à quinze contre deux.

Un fusil noir reposait dans les bras de Jack. Il avait grillé des milliers de cartouches avec cette arme, et en connaissait les moindres caractéristiques. La sensibilité de la gâchette, la force du recul, son ergonomie, son poids, son odeur... Ce n'est qu'en l'exhumant d'un placard, quelques heures plus tôt, qu'il avait mesuré combien cette vieille amie lui avait manqué.

Dans la caravane, la lumière allumée, Sykes regardait la télévision. On avait passé l'endroit au peigne fin pour s'assurer qu'il n'avait aucun moyen d'appeler le conducteur, mais Jack savait cette précaution inutile. Même avec dix téléphones sous la main, Sykes n'aurait pas bougé. Il respecterait le marché. Le district attorney avait sauté de joie devant l'abondance des preuves présentées par Sykes, et offert un accord des plus clément : cinq ans avec sursis. Rien du tout, pour ainsi dire.

Soudain, le ronronnement d'un moteur s'éleva dans la cacophonie des crapauds, grillons, chouettes et autres animaux nocturnes. Jack sentit l'adrénaline affluer dans ses veines.

Le pick-up aménagé apparut sur le petit chemin graveleux et le conducteur éteignit ses phares. Sykes alluma aussitôt le lampadaire du porche, ouvrit la porte de la caravane et se posta en haut du marchepied.

Le livreur coupa son moteur et sortit du véhicule.

– Salut, Sykes.

Son complice resta dans le camion.

– Tout s'est bien passé ? demanda Sykes.

– Une des filles a gerbé plusieurs fois. Je te dis pas l'odeur ! J'ai dû m'arrêter pour passer un coup de jet dans la cabine, sans quoi elles auraient toutes vomi.

– Emmenons-les à l'intérieur afin qu'elles puissent se laver. M. Phillips a hâte de les voir.

– Il a flashé sur la plus jeune, pas vrai ? C'est un beau bout de femme, bien qu'elle n'ait pas sa mine des grands jours. C'est elle qui est malade.

Surgit alors le bruit d'un second véhicule, qui prit tout le monde de court. Sykes fit un signe d'apaisement à son livreur.

– T'emballe pas, mec. C'est juste une voiture qui passe.

Mais celle-ci semblait ralentir à mesure qu'elle se rapprochait. Le livreur recula jusqu'à son camion, ouvrit la portière et rentra à moitié dans l'habitacle. Les policiers devinèrent qu'il s'emparait d'une arme.

La voiture, une Lexus blanche, s'engagea sur le chemin, en pleins phares, puis s'arrêta derrière le pick-up et éteignit ses feux. Un homme en sortit. Grand, les cheveux platinés et plaqués en arrière, portant costume et cravate.

– Monsieur Sykes, dit-il d'une voix mielleuse.

– Monsieur Phillips ? Je ne pensais pas vous voir ce soir.

Sykes ne mentait pas. Les hommes de Scottsboro n'avaient pas réussi à localiser l'homme d'affaires, même si, à vrai dire, ils avaient procédé avec retenue pour ne pas l'alerter, de peur qu'il ne détruise des preuves ou se sauve.

Sykes se tourna vers le conducteur du pick-up.

– Tout va bien. M. Phillips est le commanditaire de cette opération.

Soulagé, le livreur et son garde quittèrent le camion, laissant leurs armes à l'intérieur.

– Ces derniers jours ont été marqués par de nombreuses erreurs, dit Phillips tout en s'avançant vers Sykes. Aussi ai-je voulu superviser cette livraison moi-même, pour m'assurer qu'elle se déroulerait sans accroc.

Jack comprit, révulsé, que le vieux brûlait de poser ses propres mains sur la môme de treize ans. Il braqua son viseur sur lui, car sa présence était inattendue, et que l'inattendu était souvent synonyme de complications.

– Vous n'aurez rien à déplorer, promit Sykes.

– J'en suis persuadé, répondit Phillips, juste avant d'extraire un pistolet de sa poche intérieure et de faire feu.

Sykes s'affaissa contre la caravane puis tomba du marchepied.

Jack pressa aussitôt sa détente et atteignit l'endroit précis qu'il visait. Phillips s'écroula en hurlant.

– Police ! Les mains en l'air ! crièrent Jack et les autres en bondissant de leurs cachettes, armes dressés, sous un feu de projecteurs.

Le livreur et son acolyte obtempérèrent sur-le-champ.

Paniquées, les passagères du pick-up martelèrent la porte de la malle. Les agents de l'Immigration récupérèrent les clés et les délivrèrent de leur prison, pris à la gorge par la puanteur. Les filles sautèrent à terre et se débattirent contre les bras qui les retenaient. L'une d'elles parvint à s'échapper et se lança à corps perdu sur le petit chemin, pour s'effondrer d'épuisement au bout d'une dizaine de mètres. Son poursuivant la ramena vers le groupe en la portant comme un bébé, tandis qu'elle gémissait en russe. Les policiers avaient réquisitionné un interprète, qui essaya de calmer les filles en répétant inlassablement les mêmes phrases.

Elles étaient sept, maigres, sales et exténuées et aucune n'avait plus de quinze ans. Mais d'après Sykes, aucune n'avait été violée ; leur virginité permettait de les vendre à prix d'or à des gangs de proxénètes, qui les ferait déflorer par de richissimes pervers avant de les mettre sur le trottoir. Aucune ne parlait anglais. On avait menacé d'éliminer leurs familles restées au pays si elles refusaient de coopérer.

L'interprète leur promit que leurs proches ne risquaient rien, et qu'elles pourraient bientôt les retrouver. Mais après ce qu'elles venaient de subir, les filles ne faisaient confiance à personne. Elles restèrent groupées, observant d'un air farouche les hommes en noir qui s'affairaient autour d'elles et les gyrophares des ambulances qui se pressaient sur les lieux.

Jack se pencha sur Sykes, que les secouristes tentaient de sauver. Le sang fuyant de sa poitrine avait imprégné la moitié de sa chemise, mais il était conscient. Quelques mètres plus loin, les cris de Phillips s'étaient mus en râles agonisants. Livide, Sykes demanda à Jack :

— Il va survivre ?

— Peut-être, s'il ne meurt pas d'une septicémie. Je n'ai pas touché l'artère fémorale, mais les blessures au bassin peuvent être fatales si le côlon est atteint.

– Au bassin ? releva Sykes dans un demi-sourire. Vous lui avez explosé les couilles ?

– Je n'ai pas vérifié. Mais à supposer qu'il lui reste quelque chose, je doute qu'il puisse s'en servir.

Sykes respirait de plus en plus difficilement.

– Nous avons appelé un hélicoptère, dit le secouriste.

Ce qui signifiait que la situation était critique.

– Je m'en sortirai, affirma Sykes avant de perdre connaissance.

Si la seule volonté pouvait sauver un homme dans son état, alors Jack ne doutait pas de le voir témoigner aux procès de Nolan et de Phillips.

À 6 h 13, Jack retrouva son bureau. Il n'était pas passé par chez lui, ne s'était pas douché, et n'avait pas lâché son fusil préféré. Il n'avait qu'une envie : expédier les dernières formalités et filer chez Daisy.

Sykes et Phillips étaient tous deux au bloc opératoire de Huntsville. Même si le premier décédait, on aurait assez d'éléments pour faire plonger le second.

Après que Sykes eut raconté toute l'histoire, Jack lui avait parlé de l'amie de Todd, droguée au Buffalo Club puis violée par six hommes d'affilée. Mais à cette question-là, Sykes n'avait aucune réponse, et Jack doutait qu'on en obtienne un jour.

Il ouvrit la porte et découvrit Eva Fay assise à son bureau. Elle leva les yeux et brandit une tasse de café fumant.

– Tenez, je crois que ça vous fera du bien.

Il prit la tasse et avala une gorgée. Le breuvage était si frais que l'on pouvait encore sentir l'arôme des grains moulus.

— Ça suffit, Eva. Dites-moi comment vous faites, maintenant.

— Je fais quoi ? demanda-t-elle d'un air surpris.

— Comment faites-vous pour deviner l'heure de mon arrivée ? Pour m'accueillir à n'importe quel moment de la journée avec une tasse de café frais ? Et qu'est-ce que vous fabriquez ici à 6 heures du matin, bon sang ?

— J'ai eu une journée chargée hier et je n'ai pas pu tout finir. Je suis venue ici pour rattraper mon retard.

— Et pour le café ?

Les lèvres d'Eva se fendirent d'un sourire.

— Je ne vous le dirai pas.

— Comment ça ? Je suis votre patron, et j'exige une réponse !

— Jamais, répondit-elle avant de revenir à son ordinateur.

Il avait grand besoin d'une douche. Et de sommeil. Mais ce qu'il lui fallait par-dessus tout, c'était retrouver Daisy, savourer la compagnie d'une femme qui ne stationnerait jamais dans un couloir de pompiers et traversait toujours dans les clous. Après l'abjection dont il avait été témoin, il aspirait à un peu de droiture et de bonté. Jack n'aurait su dater le moment où Daisy avait pris une telle place dans son cœur, mais il se savait irréversiblement atteint.

Elle lui ouvrit une fraction de seconde après qu'il eut frappé à la porte.

– Je t'ai entendu arriver, dit-elle avant d'écarquiller les yeux. Seigneur !

– Ça va partir, répondit-il tout en frottant ses joues couvertes de suie.

Faute de savon, il n'avait pu se débarbouiller correctement dans les toilettes du commissariat.

– J'espère bien ! s'écria Daisy.

Midas sauta au cou de Jack et se mit à lui lécher le visage.

– Arrêtez ça, vous deux. J'ai peur qu'il s'intoxique.

Jack haussa les épaules et rendit le chiot à Daisy.

– Je suis venu te dire que l'affaire est bouclée.

– Je sais. Todd m'a appelée.

– Todd... répéta Jack avec une petite moue.

Il appréciait Todd, et lui faisait même confiance, mais ce type le rendait un peu jaloux. Car si Daisy persistait à le croire gay, Jack savait qu'il n'en était rien.

– Ne reste pas planté là. Va prendre une douche pendant que je prépare le petit déj.

Ces paroles avaient un goût de paradis. Jack commença à se déshabiller tout en s'éloignant vers le couloir, avec encore assez de lucidité pour ne pas laisser ses vêtements à la portée de Midas. Puis il s'arrêta net et se retourna, l'air grave.

– Daisy ?

– Oui ? demanda-t-elle depuis la cuisine.

– Tu te souviens de notre petit marché ?

– Quel marché ? demanda-t-elle en se tournant vers lui.

– Celui qui dit que je t'épouse si tu tombes enceinte.

– Bien sûr que je m'en souviens, dit-elle en rougissant. Je n'aurais jamais entamé cette relation si tu avais dit non. J'aime les gens responsables, et si tu crois pouvoir te défiler maintenant...

– Allons nous marier à Gatlinburg, ce week-end.

Elle en resta bouche bée.

– Mais... mais je ne suis pas enceinte, Jack. Du moins, pas que je sache...

– Réessayons, alors. Si tu tiens toujours à être enceinte avant de devenir ma femme.

– Mais bien sûr que non, idiot ! Tu veux dire que...

– Oui, je le veux, Daisy. Je le veux.

– Et les enfants ? Je tiens à en avoir plusieurs, mais quand je t'ai demandé l'autre jour si tu étais père, il m'a semblé que cette idée t'épouvantait.

– C'était l'idée d'avoir des bébés avec mon ex qui m'épouvantait.

– Ah ! Je vois. Tant mieux.

Puis elle se tut, songeuse, les sourcils froncés. Jack commença à s'inquiéter. Il venait de la demander en mariage, et elle restait muette ! Il traversa le salon et la souleva dans ses bras.

– Je suis sale et j'empeste, mais je ne te lâcherai que lorsque tu m'auras répondu.

– Et j'imagine que tu n'accepteras pas n'importe quelle réponse ?

– T'as tout compris.

– J'ai une petite question, alors.

– Je t'écoute.

– Tu m'aimes ? Parce que si tu ne m'aimes pas comme moi je t'aime, c'est-à-dire éperdument, ce n'est pas la peine de...

– Je t'aime, déclara-t-il. Je ne peux pas être plus clair. Je t'aime, Daisy. Alors tu vas m'épouser, oui ou non ?

Le visage de la jeune femme s'illumina, avec ce sourire que Jack avait remarqué dès leur première rencontre, lorsqu'il s'était inscrit à la bibliothèque virtuelle. Ce sourire était plus efficace que tous les cosmétiques du monde.

– Oui, dit-elle enfin.

Un telle réponse ne pouvait échapper à un gros baiser, à l'issue duquel Jack se sentit revigoré. Il entraîna Daisy vers le couloir.

– Laisse tomber le petit déj. Viens te doucher avec moi.

– Mais Midas...

– ... n'a qu'à venir avec nous. Il a besoin d'un bon bain.

– D'une part c'est faux, d'autre part ça me gênerait de faire ça devant lui.

– Je lui banderai les yeux.

– Pas question !

Ils pénétrèrent dans la salle de bains. Jack appela le chiot, qui accourut aussitôt.

– Alors, occupons-le.

Sur ces mots, Jack offrit son tee-shirt à Midas. Puis son jean, son caleçon et ses chaussettes. Le chiot n'avait jamais vu un tel festin. Jack effeuilla Daisy en toute hâte et la hissa dans la baignoire. Il ouvrit les robinets et fit écran avec son corps jusqu'à ce que l'eau soit à la bonne température.

— Et si on essayait tout de suite ? proposa Daisy dès qu'il se mit à l'embrasser.

— Essayer quoi ? demanda-t-il distraitement.

— D'avoir un bébé, voyons.

— Je te promets, chérie, que tu n'auras plus jamais à acheter de préservatifs « Arc-en-ciel ».

Épilogue

Evelyn et Joella avaient mis les petits plats dans les grands pour ce déjeuner dominical en l'honneur de Daisy et de Jack. Ils avaient déjà festoyé à Gatlinburg la semaine précédente, dans la foulée des noces, mais la maison offrait un cadre plus intime que le restaurant. La table de la salle à manger ployait sous le poids des mets de la mère de la mariée. La famille était au complet, augmentée de Todd et de Howard.

Harassé d'avoir joué avec tout le monde, Midas reconnut sous la table les pieds de sa maîtresse et vint s'y lover en vue d'une petite sieste.

Quelques semaines plus tôt, Daisy se morfondait sur la vacuité de sa vie. Aujourd'hui, elle était une femme mariée et épanouie, riche de nouveaux amis et d'un chien.

Comment avait-elle pu croire que Jack n'était pas son type d'homme ? Il semblait conçu spécialement pour elle ! Certes, il gardait ses cheveux en brosse et marchait toujours comme un cow-boy, mais elle adorait à présent qu'il envahisse son espace.

Ses règles accusaient quatre jours de retard. Elle peinait à croire que l'on puisse tomber enceinte aussi facilement, mais il est vrai qu'elle et Jack n'avaient pas chômé. En fin d'après-midi, ils achèteraient un test de grossesse avant de regagner leurs pénates, et seraient fixés. Le sexe de l'enfant lui était bien égal. Qu'elle imagine Jack jouant au foot avec un petit garçon, ou berçant une petite fille blonde au creux de ses bras d'acier, c'était le même ravissement. Elle demanderait à Todd de décorer la chambre du bébé, et lui proposerait d'en être le parrain. À moins que Jack ne réserve la place à un copain.

Todd s'extasiait devant la nappe à dentelle d'Evelyn. Il portait une chemise de soie blanche et un pantalon à pinces vert bouteille avec une fine ceinture noire. Impeccable, comme toujours.

Le mollet de Jack chercha celui de Daisy sous la table, comme s'il ne supportait pas d'être trop longtemps séparé d'elle. Mais il n'obtint aucune réaction. Il remarqua alors la direction de son regard, et se sentit à nouveau rongé de jalousie.

— Daisy, chuchota-t-il pour la ramener à la réalité.

Mais rien n'y fit. La seconde d'après, elle demandait au dandy :

— Dis-moi, Todd, connais-tu la couleur puce ?

L'intéressé fronça les sourcils.

— Je parie que c'est une de tes inventions.

Glenn Sykes se rendit au domicile des Nolan un mois après sa sortie d'hôpital. Aux dernières nouvelles, le maire était en liberté sous caution et se terrait quelque part à Scottsboro dans l'attente de son procès. Où exactement, Sykes s'en moquait ; pour l'heure, il se contentait d'être en vie et de recouvrer ses forces.

Il avait conscience d'être un rescapé. Et cela changeait son regard sur le monde.

Il souriait chaque fois qu'il repensait au tir magistral de Russo. Il savait qu'une autre personne se réjouissait comme lui de la mutilation de Phillips. Et c'était la raison de cette visite.

Il sonna à la porte d'entrée. Jennifer Nolan entrouvrit la porte retenue par la chaînette de sécurité.

— Oui ? demanda-t-elle à ce visage inconnu.

Il la trouva splendide. On disait qu'elle avait cessé de boire. Elle avait un regard limpide.

— Je m'appelle Glenn Sykes, dit-il.

Elle le dévisagea un instant, et il sut aussitôt ce qu'elle pensait. En tant qu'homme de main de Temple, il connaissait ses petits secrets et le supplice que Phillips lui avait infligé.

— Allez-vous-en, dit-elle en commençant à refermer la porte.

— Ça n'a plus d'importance, répondit-il avec douceur.

— Qu'est-ce qui n'a plus d'importance ? demanda-t-elle sèchement.

— Ce que Phillips a fait. Cela n'a plus d'importance. Ce n'est pas vous qu'il a touchée, mais juste votre corps.

La colère assombrit le visage de Jennifer.

— Comment osez-vous dire qu'il ne m'a pas touchée ? Une partie de moi-même est morte cette nuit-là ! De quel droit venez vous m'asséner de telles sottises ?

Sykes rangea ses mains dans ses poches.

— Alors, vous allez le laisser gagner ?

— Il n'a pas gagné. C'est moi qui ai gagné. Je suis ici, libre, et ce qu'il reste de Phillips croupira en prison, où il n'aura pas que des amis.

— Allez-vous le laisser gagner ? répéta Sykes en la fixant intensément.

Jennifer parut troublée. Après un instant de silence, la main figée sur la porte, elle chuchota :

— Pourquoi êtes-vous ici ?

— Parce que vous avez besoin de moi, répondit Sykes. Et elle le laissa entrer.

Remerciements

J'ai la chance d'avoir une multitude d'amis dont je ne pourrais me passer. Dans le désordre :

Kate Collins, une éditrice qui n'a jamais laissé paraître ses angoisses alors que tout son entourage cédait à la panique ; Robin Rue, agent, amie et fan numéro un ; Gayle Cochran, toujours là en cas de besoin ; Beverly Beaver, dont l'amour nous protège tous ; Linda Jones, dont j'admire la fermeté, le sens de l'humour et les précieux conseils ; la rieuse Sabrah Agee, aux inépuisables sources d'informations juridiques ; Liz Cline, qui me permet littéralement de fonctionner ; Marilyn Elrod, dont l'amitié, tel le rocher dans la tourmente, ne fait jamais défaut ; ma sœur Joyce, à mon côté depuis l'enfance... Comme je l'ai dit, j'ai vraiment de la chance. Catherine Coulter, Iris Johansen et Kay Hooper me sont irremplaçables. Et n'oublions pas les membres du Clud Club – ils se reconnaîtront.

Le Buffalo Club a bel et bien existé, mais il n'a aucun rapport avec celui décrit dans ce livre. Il a brûlé il y a fort longtemps, seulement, il était de l'étoffe dont on fait les légendes.

Composition PCA
44400 – Rezé

Impression réalisée sur CAMERON par

BRODARD & TAUPIN

GROUPE CPI

La Flèche

pour le compte des Éditions Michel Lafon
en février 2002

Imprimé en France
Dépôt légal : février 2002
N° d'impression : 11197
ISBN : 2-84098-774-0
LAF : 278